The Classic

Singer Songwriter

Collection

Designed by Lydia Merrills-Ashcroft

Arranged by Alex Davis
Compiled & Edited by Lucy Holliday

Printed in England by Caligraving Ltd

ISBN10: 0-571-52986-0
EAN13: 978-0-571-52986-5

To buy Faber Music publications or to find out about the full range
of titles available, please contact your local music retailer
or Faber Music sales enquiries:
Faber Music Ltd, Burnt Mill, Elizabeth Way,
Harlow, CM20 2HX England
Tel: +44(0)1279 82 89 82 Fax: +44(0)1279 82 89 83
sales@fabermusic.com fabermusic.com

ANNIE'S SONG

Words and Music by John Denver

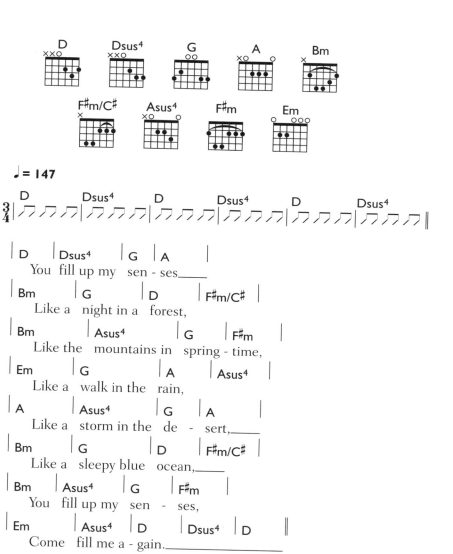

Intro

Verse 1

| D | Dsus⁴ | G | A | |
You fill up my sen - ses____

| Bm | G | D | F#m/C# | |
Like a night in a forest,

| Bm | Asus⁴ | G | F#m | |
Like the mountains in spring - time,

| Em | G | A | Asus⁴ | |
Like a walk in the rain,

| A | Asus⁴ | G | A | |
Like a storm in the de - sert,____

| Bm | G | D | F#m/C# | |
Like a sleepy blue ocean,____

| Bm | Asus⁴ | G | F#m | |
You fill up my sen - ses,

| Em | Asus⁴ | D | Dsus⁴ | D |
Come fill me a - gain._____

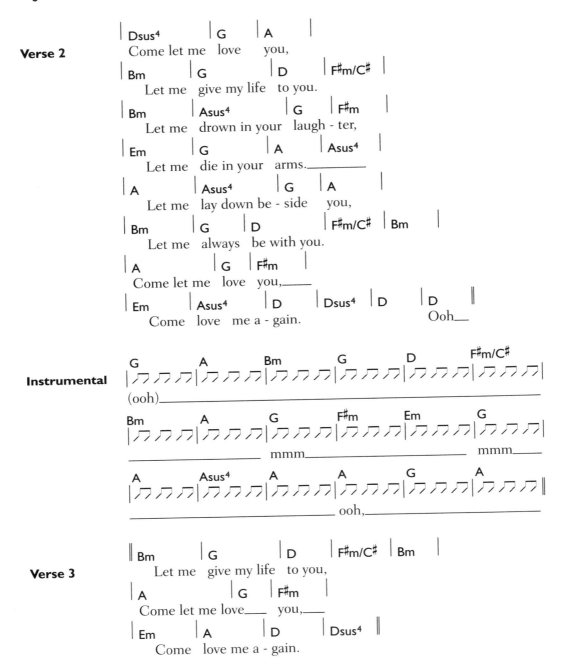

Verse 4

| D | Dsus⁴ | G | A | |

You fill up my sen - ses____

| Bm | G | D | F#m/C# |

Like a night in a forest,

| Bm | Asus⁴ | G | F#m |

Like the mountains in spring - time,

| Em | G | A | Asus⁴ |

Like a walk in the rain,_____

| A | Asus⁴ | G | A | |

Like a storm in the de - sert,___

slower   *a tempo*

| Bm | N.C. | D | F#m/C# |

Like a sleepy blue ocean,

| Bm | A | G | F#m | |

You fill up my sen - ses,

| Em | Asus⁴ | D | Dsus⁴ |

Come fill me a - gain._____

rit.

| D | Dsus⁴ | D | Dsus⁴ | D ‖

ARMY DREAMERS

Words and Music by Kate Bush

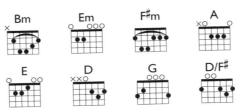

♩ = 139

Intro

```
Bm            Em            F#m           A        Play x4
||: 3/4  /  /  / | /  /  / | /  /  / | /  /  / :||
```

Verse I

| Bm | Em | F#m | A |
Our_ lit-tle Ar-my Boy_   is co-ming home_ from   B. F. P. O.

| Bm | Em | F#m | A |
I've a bunch of pur-ple flowers to de-co-rate a mam-my's he - ro.

| Bm | Em | F#m | A |
Mour-ning in the ae-ro-drome._ The wea-ther war - mer, he is cold - er.

| Bm | Em | F#m | A ||
Four_ men in u - ni - form_ to car-ry home_ my lit-tle sol - dier.

Chorus I

| Bm | E | D |
                                          But he did - n't
What could he do?   *Should have been a rock*   *star.*

| F#m | Bm | E |
have the mo - ney for a   gui - tar.
                       What could he do?   *Should have been a po - li -*

| D | F#m | Bm | E |
      But he ne-ver had a pro-per e-du - ca - tion.
- ti-cian.   *What could he do? Should have been a fa-*

| D | F#m | Bm | D |
      But he ne-ver e-ven made it to his twen - ties._ What a waste.
- ther.

| G | Bm | G | D/F# | G | Bm | G ||
Ar - my dream - ers.   Ooh,_ what a waste of ar - my dream - ers.

Verse 2

| Bm | Em | F#m | A |
Tears_ o'er a tin   box.   Oh   Je-sus Christ, he   was-n't to know.

| Bm | Em | F#m | A |
Like a chi-cken with a fox.   He could-n't win_ the war with e - go.

| Bm | Em | F#m | A |
Give the kid the pick of pips,   and give him all_ your stripes and rib - bons.

| Bm | Em | F#m | A ||
Now he's sit-ting in his hole,_   he might as well_ have but-tons and bows.

Chorus 2   *As Chorus 1*

Mid-section

| G | D/F# | G | Bm |
Ooh,___   what a waste of all them ar - my dream - ers.

| G | Bm | G | Bm |
Ar - my   dream - ers. Ar - my   dream -

| G | Bm | Bm | N.C. ||
- ers,_____   ooh._____

Outro   *Repeat ad lib. to fade*

||: Bm / / / | Em / / / | F#m / / / | A / / / :||

BABY, CAN I HOLD YOU?

Words and Music by Tracy Chapman

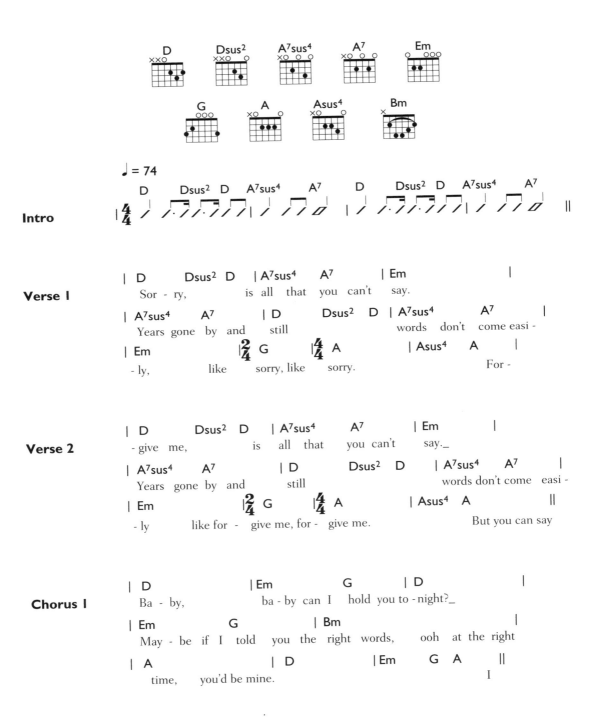

Verse 3

| D   Dsus² D | A⁷sus⁴   A⁷ | Em |
love you,   is   all that you can't   say.

| A⁷sus⁴   A⁷ | D   Dsus² D | A⁷sus⁴   A⁷ |
Years gone by and   still   words don't come easi -

| Em   ²₄ G   ⁴₄ A | Asus⁴   A ‖
- ly.   Like I love you, I love you.   But you can say

Chorus 2

| D | Em   G | D |
Ba - by,   ba - by can I hold you to -night?_

| Em   G | Bm | A   ‖
May - be if I told you the right words, ooh at the right time,   you'd be mine.

Chorus 3

| D | Em   G | D |
Ba - by can I hold you to - night?_

| Em   G | Bm | A   ‖
May - be if I told you the right words, ooh at the right time   you'd be mine.

Outro

| D | Em   G A | |
You'd be mine.

| D | Em G A | D ‖
You'd be mine.

CAT'S IN THE CRADLE

Words and Music by Harry Chapin and Sandy Chapin

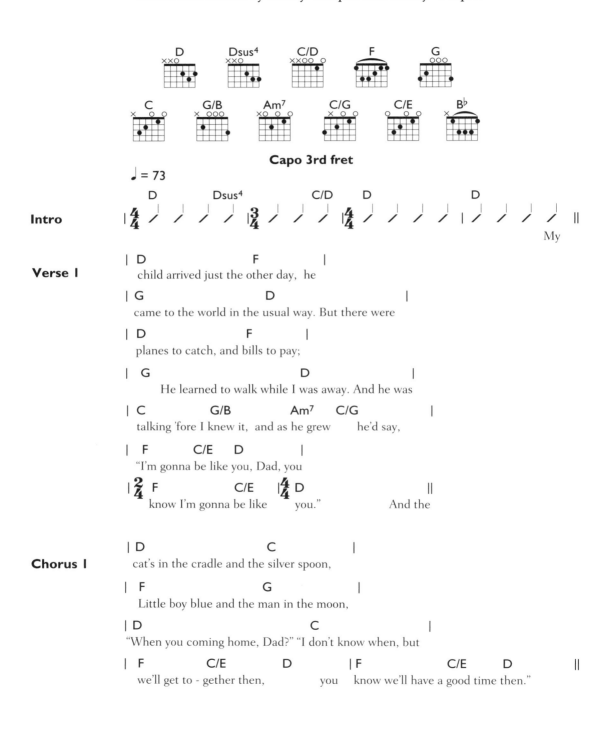

Capo 3rd fret

♩ = 73

Intro

| D | Dsus⁴ | C/D D | D |

4/4 / / / / | 3/4 / / / | 4/4 / / / / | / / / / ||

My

Verse 1

| D   F |
child arrived just the other day, he

| G   D |
came to the world in the usual way. But there were

| D   F |
planes to catch, and bills to pay;

| G   D |
He learned to walk while I was away. And he was

| C   G/B   Am⁷   C/G |
talking 'fore I knew it, and as he grew   he'd say,

| F   C/E   D |
"I'm gonna be like you, Dad, you

| 2/4 F   C/E | 4/4 D ||
know I'm gonna be like   you."   And the

Chorus 1

| D   C |
cat's in the cradle and the silver spoon,

| F   G |
Little boy blue and the man in the moon,

| D   C |
"When you coming home, Dad?" "I don't know when, but

| F   C/E   D | F   C/E   D ||
we'll get to - gether then,   you   know we'll have a good time then."

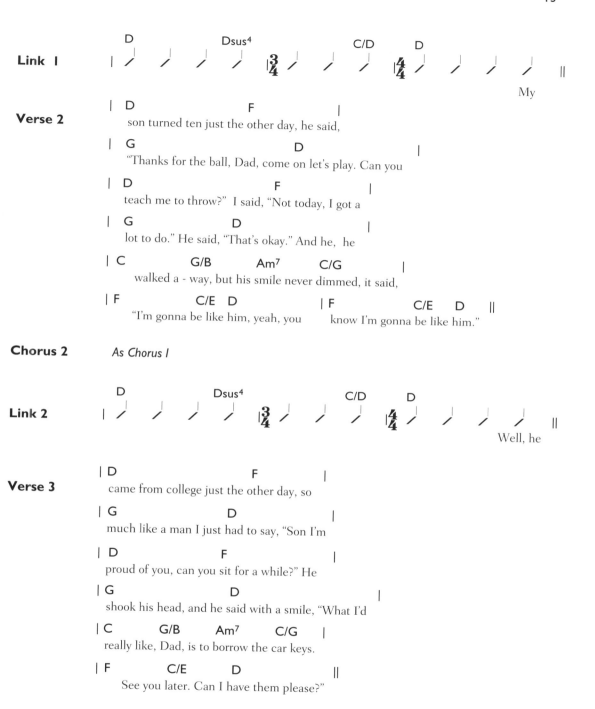

Link 1

| D | Dsus⁴ | C/D | D |

My

Verse 2

| D   F |
son turned ten just the other day, he said,

| G   D |
"Thanks for the ball, Dad, come on let's play. Can you

| D   F |
teach me to throw?" I said, "Not today, I got a

| G   D |
lot to do." He said, "That's okay." And he, he

| C   G/B   Am⁷   C/G |
walked a - way, but his smile never dimmed, it said,

| F   C/E   D | F   C/E   D ||
"I'm gonna be like him, yeah, you   know I'm gonna be like him."

Chorus 2   *As Chorus 1*

Link 2

| D | Dsus⁴ | C/D | D |

Well, he

Verse 3

| D   F |
came from college just the other day, so

| G   D |
much like a man I just had to say, "Son I'm

| D   F |
proud of you, can you sit for a while?" He

| G   D |
shook his head, and he said with a smile, "What I'd

| C   G/B   Am⁷   C/G |
really like, Dad, is to borrow the car keys.

| F   C/E   D ||
See you later. Can I have them please?"

Chorus 3

| D   C |
cat's in the cradle and the silver spoon,

| F   G |
Little boy blue and the man in the moon,

| D   C |
"When you coming home, Son?" "I don't know when, but

| F   C/E   D |F   C/E   D ||
we'll get to - gether then,   you   know we'll have a good time then."

Link 3

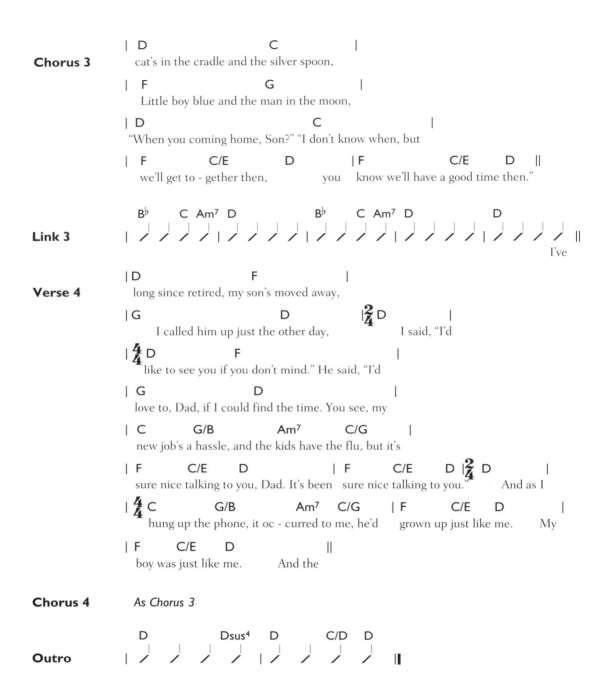

B♭   C Am⁷ D   B♭   C Am⁷ D   D

I've

Verse 4

|D   F |
long since retired, my son's moved away,

|G   D $\frac{2}{4}$ D |
I called him up just the other day,   I said, "I'd

|$\frac{4}{4}$ D   F |
like to see you if you don't mind." He said, "I'd

| G   D |
love to, Dad, if I could find the time. You see, my

| C   G/B   Am⁷   C/G |
new job's a hassle, and the kids have the flu, but it's

| F   C/E   D | F   C/E   D $\frac{2}{4}$ D |
sure nice talking to you, Dad. It's been sure nice talking to you."   And as I

| $\frac{4}{4}$ C   G/B   Am⁷ C/G | F   C/E   D |
hung up the phone, it oc - curred to me, he'd grown up just like me.   My

| F   C/E   D ||
boy was just like me.   And the

Chorus 4   *As Chorus 3*

Outro

D   Dsus⁴ D   C/D D

DIAMONDS AND RUST

Words and Music by Joan Baez

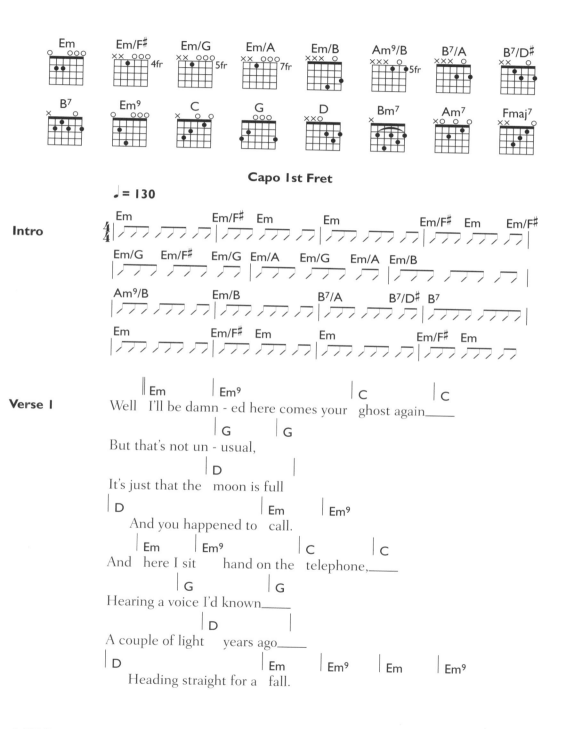

© 1975 Chandos Music
Carlin Music Corp, London NW1 8BD for the Commonwealth of Nations
(including Hong Kong excluding Canada and Australasia) and Eire
All Rights Reserved

Verse 2

| Em | | Em⁹ | | C | | C |

As I remember your eyes were bluer than Robins' eggs,——

| G | | G |

My poetry was lousy you said,——

| D |

Where are you call - ing from?

| D | | Em | | Em⁹ |

A booth in the Midwest.

| Em | | Em⁹ | | C | |

Ten years ago I bought you some cufflinks,——

| C | | G | | G |

You brought me something——

| D | |

We both know what memories can bring,

| D | | Em | | Em/F♯ ‖

They bring diamonds and rust.

Instrumental 1

| Em/G Em/F♯ | Em/G Em/A | Em/G Em/A Em/B |

| Am⁹/B | Em/B | B⁷/A | B⁷/D♯ B⁷ |

| Em | Em/F♯ Em | Em | Em/F♯ Em |

Verse 3

‖ Em | | Em⁹ | | C | |

Well you burst on the scene already a legend,

| C | | G | |

The unwashed phenomenon,

| G | | D | |

The original vagabond,

| D | | Em | | Em⁹ |

You strayed into my arms.

| Em | | Em⁹ | | C | |

And there you stayed temporarily lost at sea,

| C | | G | |

The Madonna was yours for free,

| G | | D | |

Yes, the girl on the half shell

| D | | Em | Em⁹ | Em | Em⁹ |

could keep you un - harmed.

Bridge

    Bm⁷
Now I see   you standing

    Bm⁷   **Am⁷** **Am⁷**
With brown leaves falling around, and snow in your hair._____

    Bm⁷
Now you're smil - ing out the window

    Bm⁷   **Am⁷** **Am⁷**
Of that crummy ho - tel over Washington Square._____

 C   **C**   **G**   **G**
Our breath comes out white clouds, mingles and hangs in the air.

   Fmaj⁷   **Fmaj⁷**   **G**   **G**
Speaking strictly for me, we both could have died then and there.

Instrumental 2

B⁷   **Em/B**   **Am⁹/B**

Em/B   **B⁷/A**   **B⁷/D♯** **B⁷**

Em   **Em/F♯** **Em**   **Em**   **Em/F♯** **Em**

Verse 4

    Em   **Em⁹**   **C**
Now you're telling me   you're not nos - talgic,____

 C   **G**   **G**
  Then give me another word for it,____

    D
You who are so good with words,____

    Em   **Em⁹**
And at keeping things vague.

   Em   **Em⁹**
'Cause I need some of that vagueness now,

          C
It's all come back too clearly,

 C   **G**
  Yes I loved you dearly,

 G   **D**
  And if you're offering me diamonds and rust

 D   **Em** **Em⁹** **Em** **Em⁹**
  I've already paid.

Outro

  Em   **Em⁹**

Repeat to fade

DON'T ASK ME WHY

Words and Music by Billy Joel

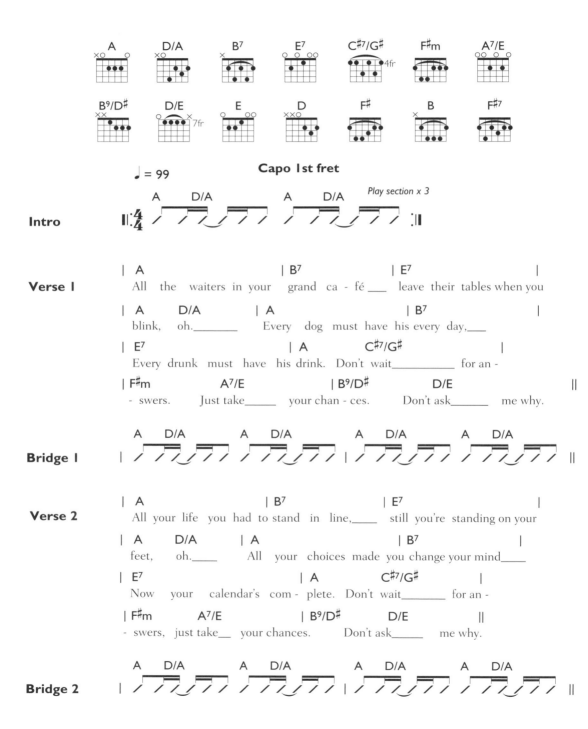

Mid-section

| E | | D |
You can say the human heart is on - ly make believe,

| E | | A |
I am only fighting fire with fire. But

| F# | | B |
you are still a victim of the ac - cidents you leave. As

| F#7 | | B7 E7 ||
sure as I'm a victim of de - sire,_____ ya, ya, ya.

Verse 3

| A | B7 | E7 |
All the servants in your new hotel___ throw their roses at your

| A D/A | A | B7 |
feet, oh._____ Fool them all, but baby I can tell_____

| E7 | A C#7/G# |
you're no stranger to the street. Don't ask_____ for fa -

| F#m A7/E | B9/D# D/E ||
- vours. Don't talk_____ to stran - gers, don't ask_____ me why.

Bridge 3

A   D/A   A   D/A   A   D/A   A   D/A
| / / / / / / / / / / / | / / / / / / / / / / / ||

Piano solo

E   D   E   A
| / · / / / / / / | / · / / / / / / | / · / / / / / | / · / / / / / |

F#   B   F#   B7   E7
| / · / / / / / / | / · / / / / / / | / · / / / / / | / / / / ||

Verse 4

| A | B7 | E7 |
Yesterday you were an only child,_____ now your ghosts have gone a -

| A D/A | A | B7 |
- way, oh._____ You can kill them in the classic style.____

| E7 | A C#7/G# |
Now you parlez vouz Fran-cais. Don't look_____ for an -

| F#m A7/E | B9/D# D/E ||
- swers. You took_____ your chan - ces. Don't ask _____ me why.

Outro

| A   D/A   A   D/A | A   D/A   A   D/A |
_____
                                      Don't ask me why.

| A   D/A   A   D/A | A   D/A   A ||
_____

DOWN TO ZERO

Words and Music by Joan Armatrading

C   Fmaj⁷   Fmaj⁷#¹¹   G

Am   C/E   F   Em

♩ = 76

Tune guitar down a tone
(song sounds in D)

Intro

C   Fmaj⁷ C   (E)

Fmaj⁷#¹¹   G

C   Am   G   C   Fmaj⁷

Verse I

| C   Fmaj⁷ | C | G |
Oh the feeling   when you're reeling,   you step lightly

| G | C   Fmaj⁷ |
thinking you're number one. Down to zero with a word,

| C | G | G |
Leaving,   for another one.

Chorus I

| Am   G | C |
Now__ you walk with your feet back on the ground.

| Am   G | C   Fmaj⁷#¹¹ |
Down__ to the ground,__ down to the ground._____

|⁹₈ Fmaj⁷#¹¹   G |⁶₈ C   Fmaj⁷ ||
Down__ to the ground,__ down to the ground.

Verse 2

| C   Fmaj⁷ | C | G |
Brand new dandy,   first class scene stealer   walks through the crowd and

| G | C   Fmaj⁷ | C |
takes your man.   Sends you rush-ing to the mirror,   brush your eye-brows and say,

| G | G |
There's more beauty in you than any - one.

Chorus 2

| Am   G | C |
Oh__ re-member who walked the warm sands__ beside___ you.

| Am   G | C |
Moored__ to your heel,_ let the waves come a rushing___ in.

| Am   G | Fmaj⁷#11 |
She'll take the worry from your__ head,   but then again   she put

| Fmaj⁷#11 | Fmaj⁷#11 |
trouble in your heart instead.   Then you'll fall_____

| Am   G | C |
down__ to the ground,__ down to the ground._____

Mid-section

| G | G |
You'll know heart - ache,__   still more crying, when you're

| Am   C/E   F | G | G |
thinking of your mo - ther's only   son.___   Take to your bed,

| G | Am   C/E   F |
You say there's peace in   sleep.___ But   you dream of love___   in -

| G | Em | Fmaj⁷#11 |
- stead.___   Oh____   the heart - ache__ you'll find____   can bring

| Am   C/E   F | G | Am   G |
more pain than a bliste - ring sun._____   But oh_____ when you

| C | Am   G | C   Fmaj⁷#11 | 9/8 Fmaj⁷#11   G |
fall.____   Oh____ when you fall, fall at my   door._____

Instrumental

Verse 3   *As Verse I*

Chorus 3

| Am   G | C |

Now__ you walk with your feet back on the ground.

| Am   G | C   Fmaj7#11 |

Down__ to the ground,__ down to the ground._____

| Fmaj7#11   G | C ||

Down__ to the ground,__ down to the ground._____

Outro

| G | G |

You'll know heart - ache,__   still more crying when you're

| Am   C/E   F | G | G |

thinking of your mo - ther's only   son.__   Take to your bed.

| G | Am   C/E   F |

You say there's peace in sleep,__ but   you dream of love___   in -

| G | Am   G | C | Am   G |

- stead._____   But oh_____ when you fall,____   oh_____ when you

| C   Fmaj7#11 | 9/8 Fmaj7#11   G | 6/8 C ||

fall,   fall at my   door._____

FROM BOTH SIDES NOW

Words and Music by Joni Mitchell

24

Link I

D　　Gadd⁹/D　D　　(D)　Dmaj⁷⁽⁵⁾ D Gadd⁹/D　D

all.

D　　Gadd⁹/D　D　　(D)　　Gadd⁹/D　D

Verse 2

| Dmaj⁷⁽⁵⁾　　Gadd⁹/D | A⁷sus⁴/D　D* D
Moons and Junes and Fer　-　ris　wheels

Gadd⁹/D | D　　Dmaj⁷⁽⁵⁾ Gadd⁹/D | A⁷sus⁴/D　　D*
The　　dizzy danc - ing　　way you　feel

| Dmaj⁷⁽⁵⁾ Gadd⁹/D | A⁷sus⁴/D　　　|
As　ev'ry　fairy　-　tale comes real

| Dmaj⁷⁽⁵⁾　　Gadd⁹/D | A⁷sus⁴/D |
I've looked at love that　way.___

| Dmaj⁷⁽⁵⁾　　　Gadd⁹/D | A⁷sus⁴/D　D* D
But now it's just　a - no　-　ther show

| Dmaj⁷⁽⁵⁾　Gadd⁹/D | A⁷sus⁴/D D*
You　leave 'em laughing　when　you go

| Dmaj⁷⁽⁵⁾ Gadd⁹/D | A⁷sus⁴/D　　|
And if you　care, don't let them know

Dmaj⁷⁽⁵⁾　| Gadd⁹/D　　| A⁷sus⁴/D
Don't　give yourself　away.

Chorus 2

‖ D**　　A⁷sus⁴/D | Gadd⁹/D　D
I've looked at love　from both sides now,

| Gadd⁹/D D　　| Gadd⁹/D　　D
From give and　take, and　still some - how

| Dmaj⁷⁽⁵⁾　Gadd⁹/D | A⁷sus⁴/D
It's　love's ill - usions　I recall

| Dmaj⁷⁽⁵⁾ Gadd⁹/D　D　　| A⁷sus⁴/D | A⁷sus⁴/D ‖
I　really　don't　know love___　at (all).

Link 2

As link I

Verse 3

‖ Dmaj⁷⁽⁵⁾　Gadd⁹/D | A⁷sus⁴/D　D
Tears and fears and　feeling　proud

Gadd⁹/D | D　　Dmaj⁷⁽⁵⁾ Gadd⁹/D | A⁷sus⁴/D D*　|
To　say "I love　you"　right　out loud.

| Dmaj⁷⁽⁵⁾　　Gadd⁹/D　| A⁷sus⁴/D　|
Dreams and schemes and circus crowds

| Dmaj⁷⁽⁵⁾　　Gadd⁹/D | A⁷sus⁴/D
I've looked at life that　way.

cont.

    | Dmaj⁷⁽⁵⁾   Gadd⁹/D | A⁷sus⁴/D D
But now old friends are acting   strange

     | Dmaj⁷⁽⁵⁾   Gadd⁹/D | A⁷sus⁴/D D*
They shake their heads, they say I've   changed,

      | Dmaj⁷⁽⁵⁾   Gadd⁹/D | A⁷sus⁴/D
Well something's lost   but something's gained

     | Dmaj⁷⁽⁵⁾ Gadd⁹/D | A⁷sus⁴
In living   every - day.

Chorus 3

    ‖ D**   A⁷sus⁴/D | Gadd⁹/D D
I've looked at life from both sides now,

    | Gadd⁹/D D | Gadd⁹/D   D
From win and lose, and still some - how

    | Dmaj⁷⁽⁵⁾ Gadd⁹/D | A⁷sus⁴/D
It's life's ill - usions   I recall

   | Dmaj⁷⁽⁵⁾ Gadd⁹/D D | A⁷sus⁴/D | A⁷sus⁴/D ‖
I really   don't   know life_____   at (all).

Link 3   *As link 1*

Chorus 4

    ‖ D**   A⁷sus⁴/D | Gadd⁹/D D
I've looked at life from both sides now,

    | Gadd⁹/D D | Gadd⁹/D   D
From up and down, and still some - how

    | Dmaj⁷⁽⁵⁾ Gadd⁹/D | A⁷sus⁴/D
It's life's ill - usions   I recall

    | Dmaj⁷⁽⁵⁾ Gadd⁹/D D | A⁷sus⁴/D | A⁷sus⁴/D ‖
I really   don't   know life_____   at

Outro

D   Gadd⁹/D D (D)   Dmaj⁷⁽⁵⁾ D Gadd⁹/D D   D   Gadd⁹/D D
all.

D   Gadd⁹/D D   D   Gadd⁹/D D   D   Gadd⁹/D D

D   Gadd⁹/D D (D)   Dmaj⁷⁽⁵⁾ D Gadd⁹/D D

D   Gadd⁹/D D (D)

EVERYDAY IS LIKE SUNDAY

Words and Music by Steven Morrissey and Stephen Street

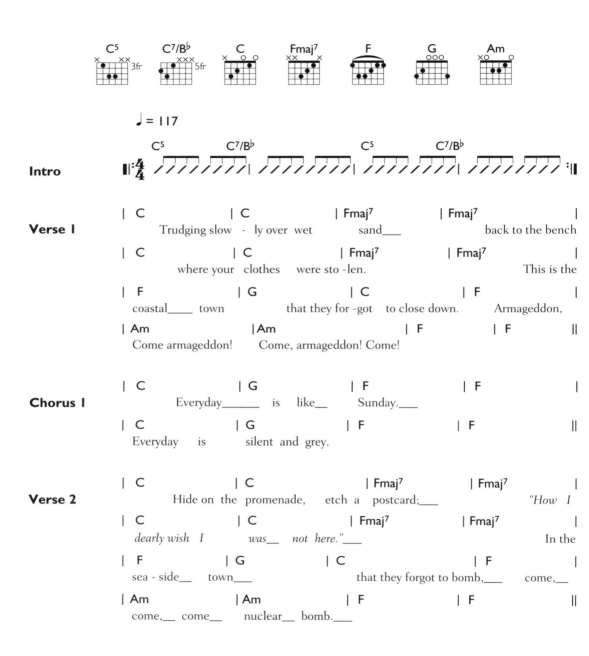

Chorus 2

| C | G | F | F |

Everyday____ is like__ Sunday,___

| C | G | F | F ||

Everyday is silent and grey.
                                                                  Trudging

Mid-section

| Am | Am | C | C |

back__ over pebbles and sand, and a

| Am | Am | G | G |

strange dust lands__ on your hands,__ and on__ your face.

| F | F | G | G |

(On your___ face...)_____ (On your face...)

| F | F | G | G ||

___ (On your___ face...)_____

Chorus 3

| C | G | F | F |

Everyday is like__ Sunday.___

| C | G | F | F |

"Win Yourself_____ A_____ Cheap Tray."__

| C | G | F | F |

Share___ some___ greased___ tea with me.____

| C | G | F | F ||

Everyday is silent and grey._

Outro

C   G   F   *Repeat to fade*

‖: / / / / / / / / | / / / / / / / / | / / / / / / / / | / / / / / / / / :‖

GAYE

Words and Music by Clifford T Ward

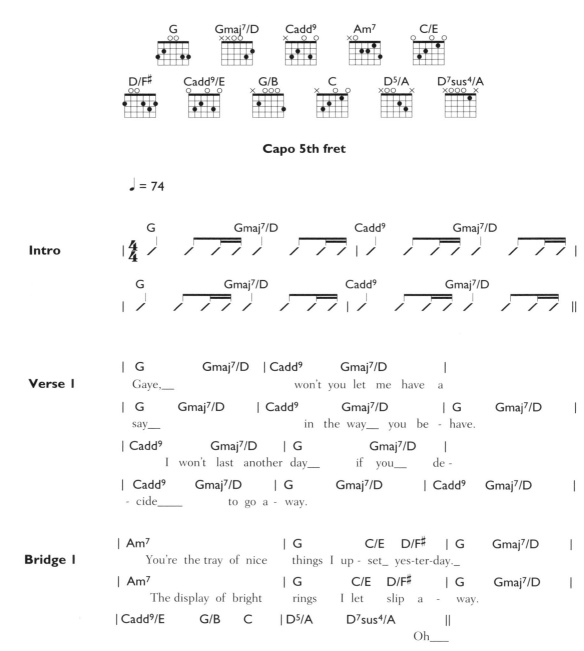

Capo 5th fret

♩ = 74

Intro

Verse 1

| G   Gmaj7/D | Cadd9   Gmaj7/D |
Gaye,__   won't you let me have a

| G   Gmaj7/D | Cadd9   Gmaj7/D | G   Gmaj7/D |
say__   in the way__ you be - have.

| Cadd9   Gmaj7/D | G   Gmaj7/D |
   I won't last another day__   if you__   de -

| Cadd9   Gmaj7/D | G   Gmaj7/D | Cadd9 Gmaj7/D |
- cide____   to go a - way.

Bridge 1

| Am7 | G   C/E D/F♯ | G   Gmaj7/D |
        You're the tray of nice   things I up - set_ yes-ter-day._

| Am7 | G   C/E D/F♯ | G   Gmaj7/D |
        The display of bright   rings I let   slip a - way.

| Cadd9/E   G/B   C | D5/A   D7sus4/A ||
                                        Oh___

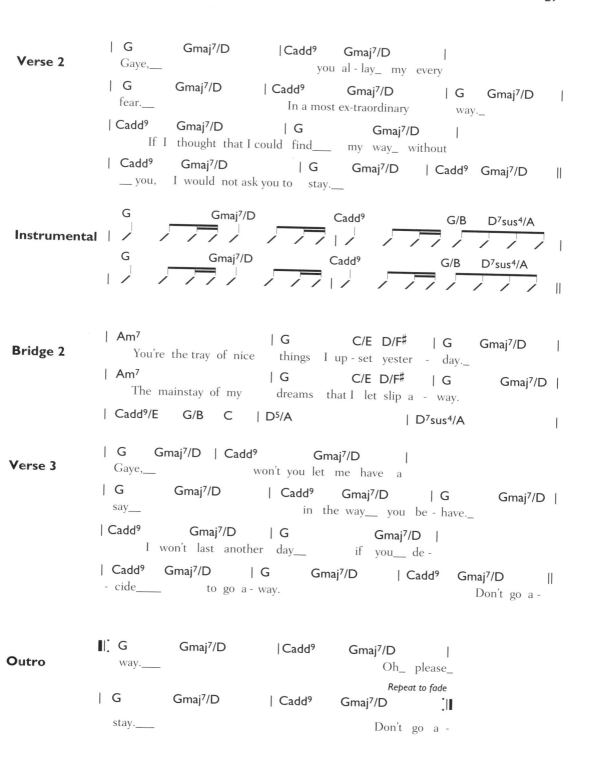

Verse 2

| G   Gmaj⁷/D |Cadd⁹   Gmaj⁷/D |
Gaye,__   you al - lay_ my every

| G   Gmaj⁷/D | Cadd⁹   Gmaj⁷/D | G   Gmaj⁷/D |
fear.__   In a most ex-traordinary   way._

| Cadd⁹   Gmaj⁷/D | G   Gmaj⁷/D |
        If I thought that I could find___   my way_ without

| Cadd⁹   Gmaj⁷/D | G   Gmaj⁷/D | Cadd⁹ Gmaj⁷/D   ‖
__ you,   I would not ask you to   stay.__

Instrumental

Bridge 2

| Am⁷ | G   C/E D/F♯ | G   Gmaj⁷/D |
        You're the tray of nice   things I up - set yester - day._

| Am⁷ | G   C/E D/F♯ | G   Gmaj⁷/D |
        The mainstay of my   dreams that I let slip a - way.

| Cadd⁹/E   G/B   C | D⁵/A | D⁷sus⁴/A |

Verse 3

| G   Gmaj⁷/D | Cadd⁹   Gmaj⁷/D |
Gaye,__   won't you let me have a

| G   Gmaj⁷/D | Cadd⁹   Gmaj⁷/D | G   Gmaj⁷/D |
say__   in the way__ you be - have._

| Cadd⁹   Gmaj⁷/D | G   Gmaj⁷/D |
        I won't last another day__   if   you__ de -

| Cadd⁹ Gmaj⁷/D | G   Gmaj⁷/D | Cadd⁹   Gmaj⁷/D   ‖
- cide____   to go a - way.   Don't go a -

Outro

‖: G   Gmaj⁷/D |Cadd⁹   Gmaj⁷/D |
way.____   Oh_ please_

Repeat to fade

| G   Gmaj⁷/D | Cadd⁹   Gmaj⁷/D   :‖
stay.___   Don't go a -

Kris Kristofferson

HELP ME MAKE IT THROUGH THE NIGHT

Words and Music by Kris Kristofferson

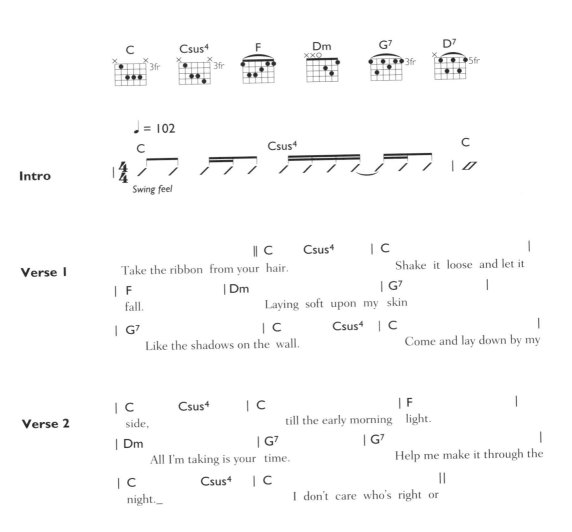

Intro

Verse 1

‖ C   Csus⁴ | C |

Take the ribbon from your hair.   Shake it loose and let it

| F | Dm | G⁷ |

fall.   Laying soft upon my skin

| G⁷ | C   Csus⁴ | C |

Like the shadows on the wall.   Come and lay down by my

Verse 2

| C   Csus⁴ | C | F |

side,   till the early morning light.

| Dm | G⁷ | G⁷ |

All I'm taking is your time.   Help me make it through the

| C   Csus⁴ | C   ‖

night._   I don't care who's right or

Mid-section

| F | F | C | C

wrong._   I don't try to under - stand._   Let the devil take

| D⁷ | D⁷ | G⁷ | G⁷

tomor - row._   Lord, tonight I need a friend._

Verse 3

‖ C   Csus⁴ | C |

Yesterday is dead and gone,   and tomorrow's_ out of

| F | Dm | G⁷ |

sight.   And it's sad to be a - lone.

| G⁷ | C   Csus⁴ | C |

Help me make it through the night.   Hmm hmm hmm hmm hmm hmm

Outro

‖: C   Csus⁴ | C | F |

hmm._   Hmm hmm hmm hmm hmm hmm hmm._

| Dm | G⁷ | G⁷ |

Lord it's sad to be a - lone.   Help me make it through the

Fade out during repeat

| C   Csus⁴ | C   :‖

night.   Hmm hmm hmm hmm hmm hmm

HOW WONDERFUL YOU ARE

Words and Music by Gordon Haskell

Gm   C⁹sus⁴   Fmaj⁷   B♭maj⁷   Gm/E   A⁷♭13   Dm   Dsus²

Gm⁷   Cm⁷   F   G   B♭   Dm⁷   C/D   A⁷   G⁷

♩ = 95

Verse 1

| **6/8** Gm | | C⁹sus⁴ | | Fmaj⁷ | | B♭maj⁷ |
I__ go__ out most nights__ attracted by the lights.

| Gm/E | | A⁷♭13 | | Dm | | Dsus² Dm |
Listen to the jazz____ in Har - ry's bar._____ And I

| Gm | | C⁹sus⁴ | | Fmaj⁷ | | B♭maj⁷ |
know__ it__ won't be long_____ before they play that song,__ 'Do You

| Gm⁷ | | A⁷♭13 | | Dm | | Dsus² Dm ‖
Know____ How Wonderful You Are.'_____ It's a

Verse 2

| Gm | | C⁹sus⁴ | | Fmaj⁷ | | B♭maj⁷ |
sentimental sound,____ makes me wanna fool a - round, with some-

| Gm⁷ | | C⁹sus⁴ | | Fmaj⁷ | Cm⁷ F |
- body__ who is wishing__ on a star. I'll

| B♭maj⁷ | | A⁷♭13 | | Dm | G |
pull my__ hat down low,_____ go up and say "Hello._ Do you

| Gm⁷ | | C⁹sus⁴ | | F | F ‖
know____ how wonderful you are?"_____ Oh we

Bridge 1

| B♭ | | C⁹sus⁴ | | F | Dm⁷ C/D |
struggle_ with the art___ of conver - sation, and there'll be

| Gm⁷ | | A⁷♭13 | | Dm | C/D Dm⁷ |
those___ for whom the song___ has no appeal. But I

| B♭ | | A⁷ | | Dm⁷ | G⁷ |
know it works for me,___ and I'm sure____ you will a - gree__ that it

| Gm/E | | A⁷♭13 | | Dm | C/D Dm⁷ ‖
illustrates___ ex - actly__ how I feel.

Warner/Chappell Music Publishing Ltd, London W6 8BS

Verse 3

| Gm | C⁹sus⁴ | Fmaj⁷ | B♭maj⁷ |
Things can happen fast,___ some things are built to last.___ I've

| Gm/E | A⁷♭13 | Dm | Dsus² Dm |
seen it all___ go down in Harry's bar._____ Though we've

| Gm | C⁹sus⁴ | Fmaj⁷ | B♭maj⁷ |
only just be - gun_____ this show will run and run._ Do you

| Gm⁷ | A⁷♭13 | Dm | Dsus² Dm ||
know____ how wonderful you are?_____

Sax solo

Gm   C⁹sus⁴   Fmaj⁷   B♭maj⁷
| / / / / / | / / / / / | / / / / / | / / / / / |

Gm/E   A⁷♭13   Dm   Dsus² Dm
| / / / / / | / / / / / | / / / / / | / / / / / |

Gm   C⁹sus⁴   Fmaj⁷   B♭maj⁷
| / / / / / | / / / / / | / / / / / | / / / / / |

Gm⁷   C⁹sus⁴   F
| / / / / / | / / / / / | / / / / / | / / / / / ||

I've always

Bridge 2

| B♭ | C⁹sus⁴ | F | Dm⁷ C/D |
struggled with the art__ of conver - sation,__ and there'll be

| Gm⁷ | A⁷♭13 | Dm | C/D Dm⁷ |
those___ for whom this song___ has no_ appeal. But I

| B♭ | A⁷ | Dm⁷ | G⁷ |
know it works for me,___ and I'm sure_____ you will a - gree__ that it

| Gm/E | A⁷♭13 | Dm | C/D Dm⁷ ||
illustrates___ ex - actly__ how I feel.

Verse 4

| Gm | C⁹sus⁴ | Fmaj⁷ | B♭maj⁷ |
Things can happen fast,___ some things are built to last.___ I've

| Gm/E | A⁷♭13 | Dm | Dsus² Dm |
seen it all___ go down in Harry's bar._____ Though we've

| Gm | C⁹sus⁴ | Fmaj⁷ | B♭maj⁷ |
only just be - gun_____ this show will run and run._ Do you

| Gm⁷ | A⁷♭13 | Dm | Dsus² Dm⁷ |
know____ how wonderful you are?_____ Do you

| Gm⁷ | C⁹sus⁴ | Fmaj⁷ | Dm⁷ |
know____ how wonderful you are?_____ Do you

| Gm⁷ | A⁷♭13 N.C. | Dm ||
know_____ how wonderful you are?_____

HUMAN TOUCH

Words and Music by Bruce Springsteen

G   Fsus²   C   F   Am   Dm⁷

♩ = 115

Intro

|G| |Fsus² C| |G| |Fsus² C|

Verse 1

| G | Fsus²   C | G |
You and me we   were the pre-tenders,   we let it all___

| Fsus²   C | G | Fsus²   C |
slip a - way.___   In the end what you don't   sur - render

| F | F   C   G | G |
Well the world just   strips a - way.   Girl, ain't no kindness in the

| Fsus²   C | G | Fsus²   C |
face of strangers.   We ain't gonna find no miracles   here,

| G | Fsus²   C |
Well you can wait on your blesses my darlin', but

| F | F   C   G ||
I got a deal__   for__you   right   here.

Chorus 1

| F | C | F |
I ain't lookin' for   praise or pity,   I ain't comin' 'round

| C | F | C |
searchin' for a crutch.   I just want___   someone to talk to,__

| F | F C G | F | F C G ||
And a little of that Hu-man Touch,   just a little of that Hu-man Touch.

Bridge 1

|G| |Fsus² C| |G| |Fsus² C|

Verse 2

| G | Fsus²   C |
Ain't no mercy on the streets__ of this town.

| G | Fsus²   C | G |
Ain't no bread from heavenly skies,   ain't nobody drawin'

| Fsus²   C | F | F   C   G   ‖
wine from this blood,   it's just you and   me to - night.

Chorus 2

| F | C | F |
Tell me, in__ a__ world without pity,__   do you think what I'm

| C | F | C |
askin's too much?___   I just want something to hold on to,__

| F | F   C   G | F | F   C   G   ‖
And a little of that Hu-man Touch,   just a little of that Hu-man Touch.

Bridge 2

Mid-section

| Am | F   C | G |
Oh girl that   feeling of safety you prize,___   well it

| Dm⁷ | Am | F   C |
comes at a hard, hard   price. You can't_ shut off the risk and the pain

| G | F   G | Am | Am   ‖
Without   losin' the love that re - mains.   We're all riders on this

Guitar solo

train.

Bridge 3

Verse 3

| G | Fsus²   C | G |
So you've been broken   and you've been hurt.   Show me some -

| Fsus²   C | G | Fsus²   C |
- body who ain't.   Yeah, I know I ain't   nobody's bar-gain, but hell,

| F | F   C   G ||
a   little   touch-up   and a   little   paint...

Chorus 3

| F | C | F |
You might need somethin'   to   hold   on   to,   when all the answers,

| C | F | C |
they don't amount to much.   Somebody that   you could just talk   to,

| F | F   C   G | F |
And a little of that   Hu - man   Touch.   Baby in__ a__

| C | F | C |
world without pity,   do you think what I'm   askin's too much?_____

| F | C ||: F |
I just want___ to   feel you in my arms.   Share a little of that

| F   C   G   :||: F | F   C   G   :||
Hu - man   Touch.   Feel a lit-tle of that   Hu - man   Touch.

| F | F   C   G | F | F   C   G |
Share a little of that   Hu-man   Touch,   feel a little of that   Hu-man   Touch.

| F | F   C   G | F |
Give me a little of that   Hu - man   Touch,   give me a little of that

| F   C   G | G | G | G | G ||
Hu-man Touch.

Repeat to fade

Outro

JESUS TO A CHILD

Words and Music by George Michael

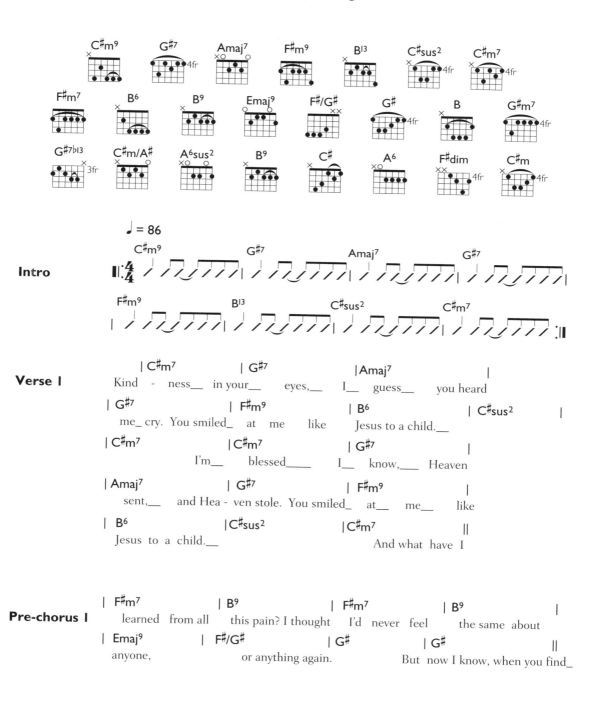

Intro

♩ = 86

C#m⁹　G#⁷　Amaj⁷　G#⁷

F#m⁹　B¹³　C#sus²　C#m⁷

Verse 1

| C#m⁷　　| G#⁷　　　|Amaj⁷　　　|
Kind - ness__ in your__ eyes,__ I__ guess__ you heard

| G#⁷　　　| F#m⁹　　| B⁶　　　| C#sus²　　|
me_ cry. You smiled_ at me like Jesus to a child.__

|C#m⁷　　　|C#m⁷　　　|G#⁷　　　|
I'm__ blessed___ I__ know,___ Heaven

| Amaj⁷　　| G#⁷　　| F#m⁹　　　|
sent,__ and Hea - ven stole. You smiled_ at__ me__ like

| B⁶　　|C#sus²　　|C#m⁷　　||
Jesus to a child.__ And what have I

Pre-chorus 1

| F#m⁷　　| B⁹　　| F#m⁷　　| B⁹　　　|
learned from all this pain? I thought I'd never feel the same about

| Emaj⁹　| F#/G#　　| G#　　| G#　　||
anyone, or anything again. But now I know, when you find_

Chorus I

| C#m7 | B | Amaj7 |
_ love._   When you know_   that it exists   then the lo -

| G#m7 | F#m7 | G#7b13 |
- ver that   you   miss____   will come to you on those

| C#m7 | C#m7 | C#m7 |
cold,__ cold__ nights.__   When you've been   loved,_ when you know_

| B | Amaj7 | G#m7 | F#m7 |
it holds such bliss,___   then the lo - ver that you kissed___   will

| G#7b13 | C#m7 | C#m7 ||
comfort you   when there's no__ hope__ in - side.

Instrumental I

C#m9   G#7   Amaj7   G#7

F#m9   B6   C#sus2   C#m7

Sad -

Verse 2

| C#m7 | G#7 | Amaj7 |
- ness___   in   my__ eyes,__   no - one_ guessed,_   or

| G#7 | F#m9 | B6 | C#sus2 |
no-one tried. You smiled_   at me   like   Jesus to a child.__

| C#m7 | C#m7 | G#7 |
Love - less____   and cold,__   with your

| Amaj7 | G#7 | F#m9 |
last breath you saved   my soul. You smiled_   at me   like

| B6 | C#sus2 | C#m7 ||
Jesus__   to a child._____   And what have I

Pre-chorus 2

| F#m7 | B9 | F#m7 | B9 |
learned   from all   these tears? I've wait - ed for you all   those years, but

| Emaj9 | F#/G# | G# | G# ||
just when it began__   you took your love away.   But I still say when you

Chorus 2   *As Chorus I*

Mid-section

| C#m/A# | A⁶sus² | G#m⁷ | C# |

So the words_   you could not say,   I'll sing them for_   you.

| C#m/A# | A⁶sus² | G#m⁷ | C# |

And the love_   we would have made,   I'll make it for   two.

| F#m⁷ | G#7b13 | C#m⁷ | C#m/A# |

For every sin - gle memory__   has become_   a   part of

| A⁶ | G#7 | F#dim | C#m ||

me.____   You will always be__ my love...

Instrumental 2   *As Instrumental 1*

Outro

| C#m⁷ | B | Amaj⁷ |

Well I've been__   loved,   so I know_   just what_ love_ is_   and the lo -

| G#m⁷ | F#m⁷ | G#7b13 | C#m⁷ |

- ver that I kissed__   is   always by my side.____

| C#m⁷ | C#m⁷ | B | Amaj⁷ |

     Oh the lo -

| G#m⁷ | F#m⁷ | G#7b13 | C#m⁹ ||

- ver I still miss___   was   Jesus__ to a child.____

Johnny Nash

I CAN SEE CLEARLY NOW

Words and Music by Johnny Nash

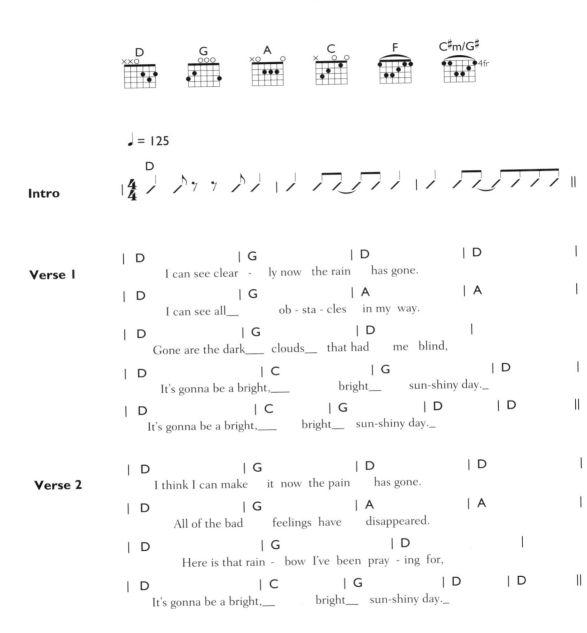

Intro

Verse 1

| D | G | D | D |
I can see clear - ly now the rain has gone.

| D | G | A | A |
I can see all__ ob - sta - cles in my way.

| D | G | D |
Gone are the dark___ clouds__ that had me blind,

| D | C | G | D |
It's gonna be a bright,___ bright__ sun-shiny day.__

| D | C | G | D | D ||
It's gonna be a bright,___ bright__ sun-shiny day.__

Verse 2

| D | G | D | D |
I think I can make it now the pain has gone.

| D | G | A | A |
All of the bad feelings have disappeared.

| D | G | D |
Here is that rain - bow I've been pray - ing for,

| D | C | G | D | D ||
It's gonna be a bright,__ bright__ sun-shiny day.__

Mid-section

| F | F | C |

Look all around,   there's nothing but blue__ sky.____

| C | F | F |

Look straight ahead,_   nothing but

| A | A | C#m/G# | G | C#m/G# |

blue sky._____

| G | C | D | A | A   ‖

Verse 3

| D | G | D | D |

I can see clear - ly now the rain   has gone.

| D | G | A | A |

I can see all__   ob - sta - cles   in my way.

| D | G | D | D   ‖

Gone are the dark__clouds that had   me blind.   It's gonna be a bright,

Repeat to fade

Outro

‖: C | G | D | D   :‖

__   bright__   sun-shiny day.__   It's gonna be a bright,

I WALK THE LINE

Words and Music by Johnny Cash

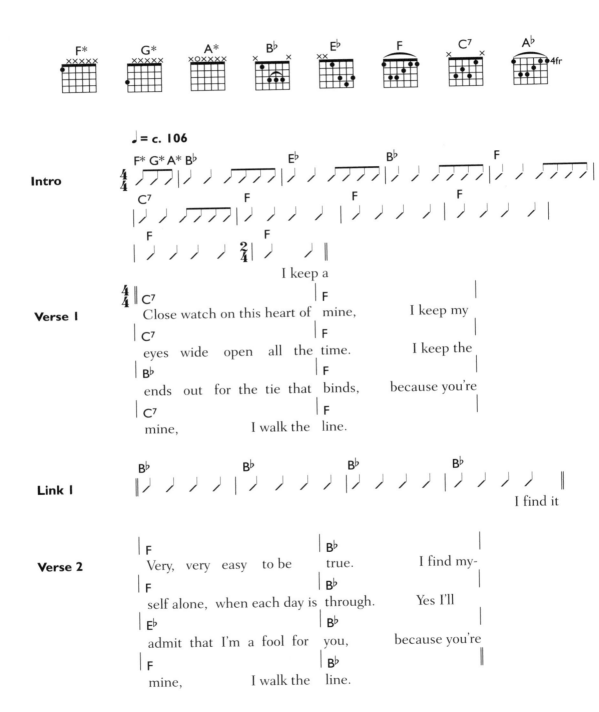

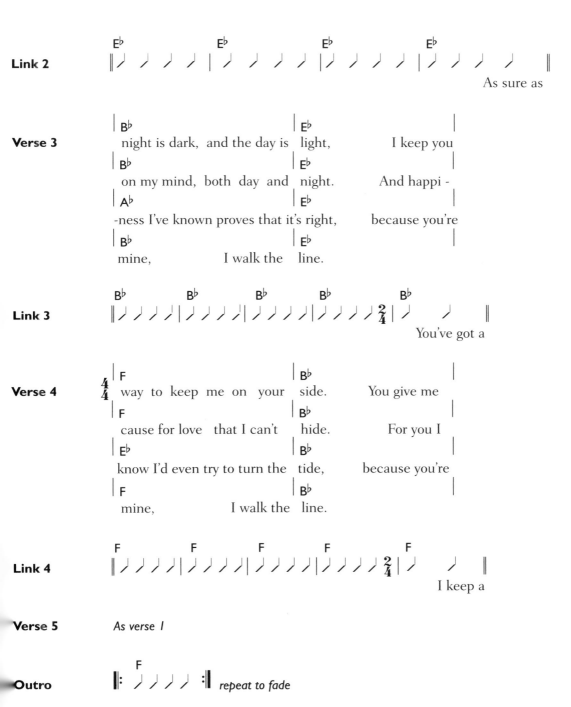

Link 2

E♭   E♭   E♭   E♭

As sure as

Verse 3

| B♭ | E♭ |
night is dark, and the day is light, I keep you
| B♭ | E♭ |
on my mind, both day and night. And happi -
| A♭ | E♭ |
-ness I've known proves that it's right, because you're
| B♭ | E♭ |
mine, I walk the line.

Link 3

B♭   B♭   B♭   B♭   B♭

You've got a

Verse 4

4/4 | F | B♭ |
way to keep me on your side. You give me
| F | B♭ |
cause for love that I can't hide. For you I
| E♭ | B♭ |
know I'd even try to turn the tide, because you're
| F | B♭ |
mine, I walk the line.

Link 4

F   F   F   F   F

I keep a

Verse 5   *As verse 1*

Outro   F   *repeat to fade*

IT'S TOO LATE

Words and Music by Carole King and Toni Stern

♩ = 101

Intro

| Am⁷ | | D⁶ | Am⁷ | | D⁶ | |

Verse 1

| Am⁷ | D⁶ | D⁶ | |
Stayed in bed all morning just to pass__ the time.___

| Am⁷ | D⁶ | D⁶ | |
There's something wrong here, there can be no denying,__

| Am⁷ | Gm⁷ | Fmaj⁷ | Fmaj⁷ ‖
One of us is changing, or maybe we just stopped try - ing.__ And it's too

Chorus 1

| B♭maj⁷ | Fmaj⁷ | |
___ late___ baby, now__ it's too__ late,__ 'tho we

| B♭maj⁷ | Fmaj⁷ | B♭maj⁷ | |
really did__ try to make__ it. Something inside__ has died__

| Fmaj⁷ | Dm⁷ | E⁷sus⁴ Em⁷ | ‖
and I can't hide,__ and I just can't fake it, oh___ no, no.

Bridge 1

| Am⁷ | D⁶ | Am⁷ | D⁶ | ‖
It

Verse 2

| Am⁷ | D⁶ | D⁶ | |
(It) used to be so easy liv-ing here___ with you,_

| Am⁷ | D⁶ | D⁶ | |
You were light and breezy and I knew___ just what to do. Now

| Am⁷ | Gm⁷ | Fmaj⁷ | Fmaj⁷ ‖
you look so unhappy and I__ feel__ like a fool.__ And it's too

© 1970 Screen Gems-EMI Music Ltd, London WC2H 0QY

Chorus 2

| B♭maj⁷ | | | Fmaj⁷ | | |
__ late__ baby, now__ it's too__ late,__ 'tho we

| B♭maj⁷ | | Fmaj⁷ | | B♭maj⁷ | |
really did__ try to make__ it. Something inside__ has died

| Fmaj⁷ | | Dm⁷ | | F/G G⁷ ‖
and I can't hide,__ and I just can't fake it, oh__ no.

Instrumental 1

| Cmaj⁷ | F | B♭maj⁷ | Am |

| Gm | F | Dm⁷ | E⁷sus⁴ Em⁷ |

‖: Am⁷ | D⁶ | Am⁷ | D⁶ |

| Am⁷ | D⁶ | Am⁷ | D⁶ :‖

Bridge 2   *As Bridge 1*

Verse 3

| Am⁷ | | D⁶ | D⁶ | |
There'll be good times_ again for me and__ you,_ but we

| Am⁷ | | D⁶ | D⁶ | |
just can't stay together, don't you feel__ it too? Still I'm

| Am⁷ | | Gm⁷ | | Fmaj⁷ | Fmaj⁷ ‖
glad__ for what we had.__ And how I once loved_ you._ But it's too

Chorus 3   *As Chorus 2*

Instrumental 2

| Cmaj⁷ | F | B♭maj⁷ | Am |

| Gm | F |

| Dm⁷ | F/G G⁷ |

It's too late__

Outro

| Cmaj⁷ | Fmaj⁷ | Fmaj⁷ | Cmaj⁷ Fmaj⁷ ‖
_____ ba - by._ It's too_ late____ now dar -

| Fmaj⁷ | Cmaj⁷ | Cmaj⁷ ‖
- ling.__ It's too__ late._____

KING OF THE ROAD

Words and Music by Roger Miller

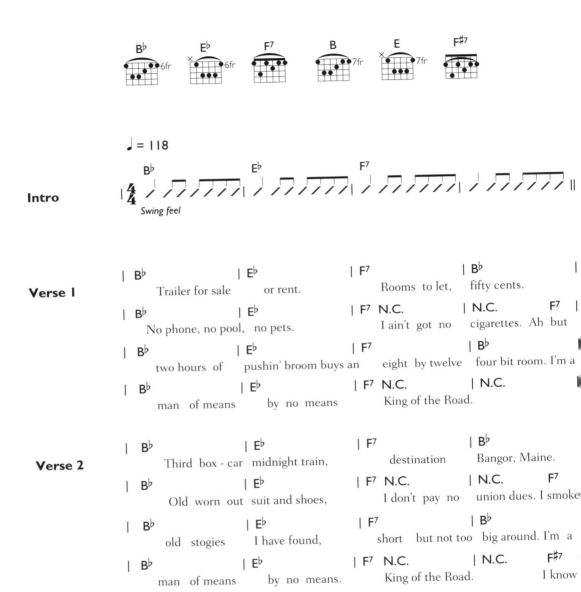

Verse 3

| B | E | F#7 |
every   engineer on   every train.   All of their children and

| B | B | E
all of their names.   And every hand - out in   every town,   and

| F#7 N.C. | N.C.   F#7
every lock that ain't locked when no - one's around._   I sing...

Verse 4

𝄆 B | E | F#7 | B
Trailers for sale   or rent.   Rooms to let, fifty cents.

| B | E | F#7 N.C. | N.C.   F#7
No phone, no pool, no pets.   I ain't got no   cigarettes. Ah but

| B | E | F#7 | B
two hours of   pushin' broom buys a eight by twelve four bit room. I'm a

| B | E | F#7 N.C. | N.C. *Repeat to fade* 𝄇
man of means   by no means,   King of the Road.

LONGER

Words and Music by Dan Fogelberg

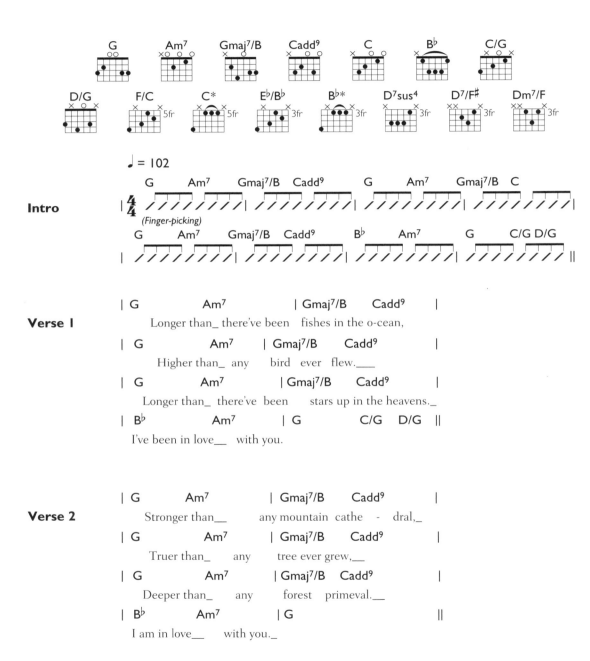

Mid-section

| F/C   C* | E♭/B♭   B♭* |
I'll____   bring____   fire in_ the win - ters,

| F/C   C* | E♭/B♭   B♭* |
You'll____   send____   showers in the springs._____

| F/C   C* | E♭/B♭   B♭* |
We'll_____   fly_____   through the falls and summers, with

| D⁷sus⁴   D⁷/F♯ | Dm⁷/F   D⁷/F♯ ||
love_____   on our   wings.

Verse 3

| G   Am⁷ | Gmaj⁷/B   Cadd⁹ |
Through the years__ as the fi - re starts to mellow,_

| G   Am⁷ | Gmaj⁷/B   Cadd⁹ |
Burning lines_ in the book__ of our_ lives.__   Though the

| G   Am⁷ | Gmaj⁷/B   Cadd⁹ |
binding cracks__ and the pa - ges start to yellow,_

| B♭   Am⁷ | G | B♭   Am⁷ | G ||
I'll be in love_ with you,__   I'll be in love_ with you._____

Instrumental

     F/C   C*   E♭/B♭   B♭*   F/C   C*   E♭/B♭   B♭*

| / / / / / / / / | / / / / / / / / | / / / / / / / / | / / / / / / / / |

     F/C   C*   E♭/B♭   B♭*   D⁷sus⁴   D⁷/F♯   Dm⁷/F   D⁷/F♯

| / / / / / / / / | / / / / / / / / | / / / / / / / / | / / / / / / / / ||

Verse 4

As Verse 1

Outro

| B♭   Am⁷ | G | B♭   Am⁷ | G ||
I am in love__ with you._____

(LOOKING FOR) THE HEART OF SATURDAY NIGHT

Words and Music by Tom Waits

D   G/B   G/A   G   G/F#   Em7   A7

♩ = 94

Intro

| D   G/B G/A   G   G/F# |

Swing feel

| Em7   G A7   D |

Verse 1

| D | D |
Well you gassed her up,   be-hind the wheel,__   with your

| G/B   G/A | G   G/F# |
arm around your sweet one in your Olds-mobile.__

| Em7 | A7 |
Barrelin' down the boulevard.   You're looking for the heart__ of Sat -

| D | D |
- tur - day night.__   And you got

Verse 2

| D | D |
paid on Friday,__   and your pockets are jinglin'.__

| G/B   G/A | G   G/F# |
And you see the lights.   You get all tinglin' 'cause you're

| Em7 | A7 |
cruisin' with a six,   and you're looking for the heart of Sa -

| D | D ||
- tur - day night.__   Then you

Bridge 1

| G/B | A⁷ | D |

comb your hair,_   shave your face,_   tryin' to wipe out every

| D | G/B | G |

trace,   of all the other days__   in the week, you know that

| Em⁷ | A⁷ |

this'll be the Saturday   you're reachin' your peak.   Stoppin' on the

Verse 3

| D | D |

red,__   you're goin' on the green,__   'cause to -

| G/B   G/A | G   G/F♯ |

- night'll be like nothin'   you've ever seen. And you're bar -

| Em⁷ | A⁷ |

- rellin' down the boulevard   looking for the heart__ of Sa -

| D | D ||

- turday night.__   Tell me is it the

Bridge 2

| G/B | A⁷ |

crack of the pool - balls,   neon buzzin'?_

| D | D |

Telephone's ringin', it's your second cousin.   Is it the

| G/B | G |

barmaid__   that's smilin'   from the corner of her eye?__

| Em⁷ | A⁷ ||

Magic of the melancholy tear   in your eye.____

Verse 4

| D | D |

Makes it kind of quiver_   down in the core.__   'Cause you're

| G/B   G/A | G   G/F♯ |

dreamin' of them Saturdays__   that came be - fore. And now you're

| Em⁷ | A⁷ |

stumblin',__   you're stumblin' onto the heart____ of Sa -

| D | D ||

- turday night.__

Verse 5   *As Verse 1*

Bridge 3

| G/B | A⁷ |

crack of_ the pool - balls,_   neon buzzin'?_

| D | D |

Telephone's_ ringin', it's your second cousin.   And the

| G/B | G |

barmaid__   is smilin'   from the corner of her eye.__

| Em⁷ | A⁷ |

Magic of the melancholy tear   in your eye._____

Verse 6

| D | D |

Makes it kind of special_   down in the core.__ And you're

| G/B   G/A | G   G/F# |

dreamin' of them Saturdays__   that came be - fore. It's found you

| Em⁷ | A⁷ |

stumblin',_   you're stumblin' onto the heart___   of Sa -

| D | D | G/B |

- turday night.__   And you're stum -   blin',

| A⁷ | D | D |

stumblin' onto the heart of Sa - turday night.   Hmm,

| G/B | A⁷ | D | D   ‖

hmm,__ hmm,__   hmm,__ hmm,__ hmm._____

MAGGIE MAY

Words and Music by Rod Stewart and Martin Quittenton

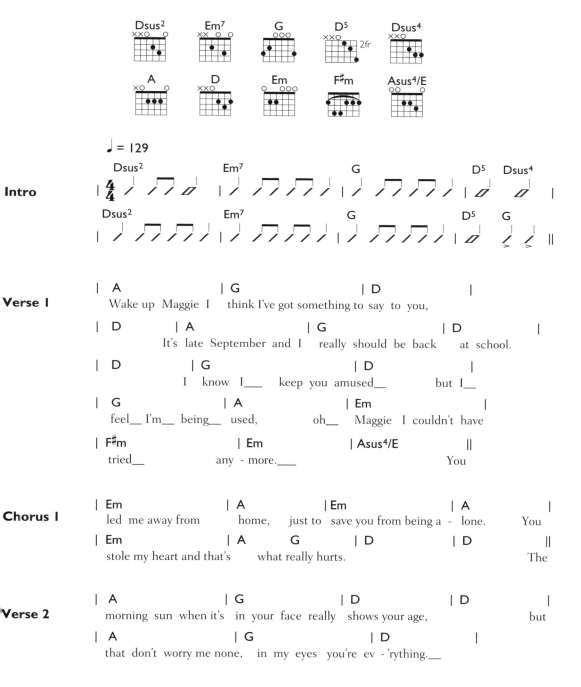

cont.

| D | G | D |
I   laughed at all of your jokes,__   my love

| G | A | Em |
__ you didn't need to coax.   Oh__   Maggie I couldn't have

| F#m | Em | Asus4/E ||
tried__   any - more.   You

Chorus 2

| Em | A | Em | A |
led me away from   home,   just to save you from being a - lone.   You

| Em | A   G | D | D ||
stole my soul and that's a   pain I can do without.__

Verse 3

| A | G | D | D |
All I needed was a   friend to lend a   guiding hand,_   but you

| A | G | D |
turned into a lover, and mother what a lover, you wore   me out.

| D | G | D |
All__ you did was wreck my bed   and in the

| G | A | Em |
morning kick me in the head.   Oh__   Maggie I couldn't have

| F#m | Em | Asus4/E ||
tried__   any - more.   You

Chorus 3

| Em | A | Em | A |
led me away from home, 'cause you   didn't wanna be a - lone.   You

| Em | A   G | D | D ||
stole my heart, I couldn't   leave you if I tried.

Guitar solo

Em   A   D   G

| / / / ⌐⌐ / | / / / ⌐⌐ / | / / / ⌐⌐ / | / / / ⌐⌐ / |

Em   G   D   D

| / / / ⌐⌐ / | / / / ⌐⌐ / | / / / ⌐⌐ / | / / / ⌐ / ||

Verse 4

| A | G | D |
I suppose I could col-lect my books and get on back to school

| D | A | G |
Or steal my daddy's cue__ and make a living out of

| D | D | G |
playing pool.__   Or find myself a rock and roll__

| D | G | A | Em |
band   that__ needs a helping hand,_   oh_ Maggie I wished I'd

| F#m | Em | Em   Asus4/E ||
never   seen your face.___   You made a

Chorus 4

| Em | A | Em | A |
first class fool out of me, but I'm as blind as a fool can be,   you

| Em | A   G | D | D ||
stole my heart, but I love you anyway.__

Guitar solo 2

Em | A | D | G

Em | G | D | D

Em | A | D

G | Em | G

Bridge

||: D | Em7 | G | D :|| *Play x5*

Outro

| D | Em7 | G | D |
Maggie__ I___ wished I'd__ ne - ver seen your   face...

| D | Em7 | G | D |
                                              I'll

| D | Em7 | G | D |
get on back home_____   one of these_____   days.

| D | Em7 | G | D ||

||: D | Em7 | G | D :|| *Repeat to fade*

MARLENE ON THE WALL

Words and Music by Suzanne Vega

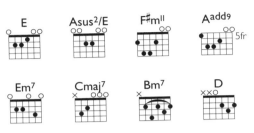

Capo 2nd fret

♩ = 113

Intro

E   Asus²/E

F♯m¹¹   Aadd9

Verse 1

| E | Asus²/E |
Even if I am in love with you, all this to say, 'what's it to you?' Ob -
| F♯m¹¹ | Aadd9 |
- serve the blood, the rose tat - too, of the fingerprints on me from you.
| E | Asus²/E |
Other evidence has shown that   you and I are still alone. We
| F♯m¹¹ | Aadd9   ‖
skirt around the danger zone, and don't talk about it later.

Chorus 1

| Em⁷ | Cmaj⁷ |
Marlene watches from the wall,   her mocking smile   says it all
| Bm⁷ | Cmaj⁷ |
As she records the rise and fall of every soldier passing.
| Em⁷ | Cmaj⁷ |
But the only soldier now is me, I'm fighting things I cannot
| Bm⁷ | Cmaj⁷ | D   ‖
see. I think it's called my desti - ny that I am changing,   Marlene on the wall.

Bridge 1 | Cmaj⁷ | D | Cmaj⁷   ‖

_____   Well I

Verse 2
| E | Asus²/E |

walk to your house in the afternoon by the butchers shop with the saw-dust room,

| F#m‖ | Aadd9 |

'Don't give away the goods too soon' is what she might have told me. And I

| E | Asus²/E |

tried so hard   to resist when you   held me in your handsome fist. And re -

| F#m‖ | Aadd9   ‖

- minded me of the night we kissed, and of   why I should be leaving.

Chorus 2   _As Chorus 1_

Bridge 2   _As Bridge 1_

Instrumental

Chorus 3   _As Chorus 1_

Bridge 3 | Cmaj⁷ | D | Cmaj⁷ |

(wall)_____   And

Verse 3
| E | Asus²/E |

even if I am in love with you.   All this to say, 'what's it to you?' Ob -

| F#m‖ | Aadd9 |

- serve the blood, the rose tattoo of the   fingerprints on me from you.

cont.

  | E | Asus²/E |

Other evidence has shown that   you and I are still alone. We

  | F#mˡˡ | A^{add9}

skirt around the danger zone, and don't talk about it later.   And I

  | E | Asus²/E |

tried so hard to resist when you held me in your handsome fist. And re -

  | F#mˡˡ | A^{add9} ‖

- minded me of the night we kissed and of   why I should be leaving.

Chorus 4

  | Em⁷ | Cmaj⁷ |

Marlene watches from the wall,   her mocking smile   says it all

  | Bm⁷ | Cmaj⁷ |

As   she   records   the rise   and fall of every man who's been here.

  | Em⁷ | Cmaj⁷ |

But the   only one here now is me, I'm   fighting   things   I   cannot

  | Bm⁷ | Cmaj⁷ |

see.___ I think it's called my desti - ny   that I am   changing,

  | D | Cmaj⁷   ‖

changing,   changing,   changing,   changing,

Chorus 5

  | Em⁷ | Cmaj⁷ |

Marlene watches from the wall,   her mocking smile   says it all

  | Bm⁷ | Cmaj⁷ |

As   she   records   the rise   and fall of every soldier passing.

  | Em⁷ | Cmaj⁷ |

But the   only soldier now is me,   I'm   fighting   things   I   cannot

  | Bm⁷ | Cmaj⁷ | D   ‖

see. I think it's called my desti - ny that I am changing,   Marlene on the wall.__

Outro

  | Cmaj⁷ | D | Cmaj⁷ |
_____

  | D | Cmaj⁷ | E   ‖

MASTERBLASTER

Words and Music by Stevie Wonder

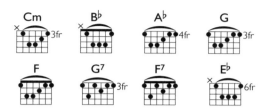

♩ = 131

Intro

|Cm| / / / / | / / / / | | |Bb Ab / / / / | |G / / / / |

Reggae shuffle feel

F   Cm   Bb   *Play x3*
| / / / / | / / / / | / / / / | / / / / :||

Verse I

| Cm |Cm   Bb | Ab |Ab   G |
Every-one's feeling   pretty,__   it's hotter than   July.__

| F | F |Cm |
Though the world's full of problems, they couldn't   touch us even if they tried.__

| Bb |Cm |Cm   Bb |
From the park I hear   rhythms,__

| Ab | Ab   G | F |
Marley's hot__ on__   the box.__   Tonight there will be a

| F |Cm | Bb ||
party__   on the   corner at the end of the block.__   Didn't know

Chorus I

| Cm | G7 | F7 |
you__   would be jammin' until the break of   dawn.   I bet you no -

| (G) (F) (Eb) (C) |Cm | G7 |
- body e-ver told you that you__   would be jammin' until the break of

| F7 | (G)   (F)   (Eb)   (C) ||
dawn.__   You would be   jammin' and jammin'and jammin', jam on.

© 1980 Black Bull Music Inc and Jobete Music Co Inc, USA

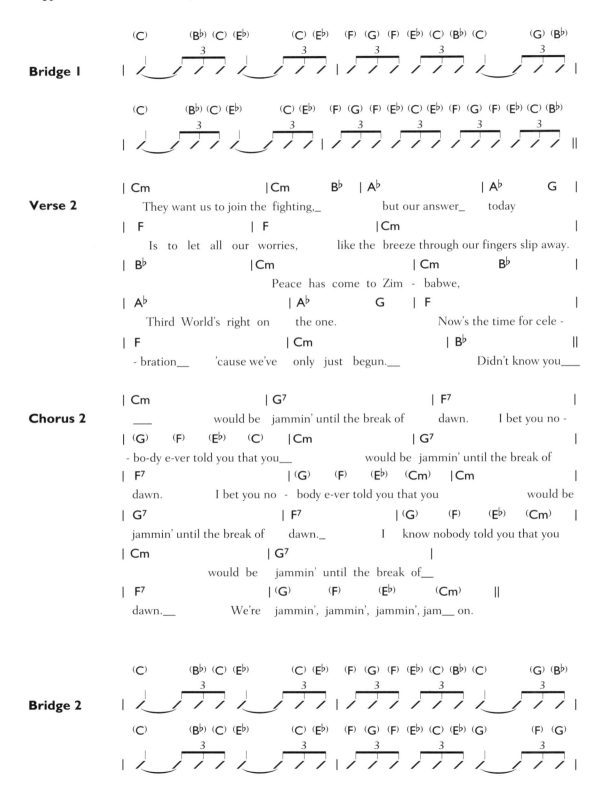

Bridge 1

(C) (B♭) (C) (E♭) (C) (E♭) (F) (G) (F) (E♭) (C) (B♭) (C) (G) (B♭)

(C) (B♭) (C) (E♭) (C) (E♭) (F) (G) (F) (E♭) (C) (E♭) (F) (G) (F) (E♭) (C) (B♭)

Verse 2

| Cm | Cm   B♭ | A♭ | A♭   G |

     They want us to join the fighting,_   but our answer_   today

| F | F | Cm |

   Is   to   let   all   our   worries,   like the   breeze through our fingers slip away.

| B♭ | Cm | Cm   B♭ |

         Peace   has   come   to   Zim - babwe,

| A♭ | A♭   G | F |

   Third   World's   right   on   the one.   Now's the time for cele -

| F | Cm | B♭   ‖

  - bration__   'cause we've   only   just   begun.__   Didn't know you___

Chorus 2

| Cm | G7 | F7 |

 ___   would be   jammin' until the break of   dawn.   I bet you no -

| (G)   (F)   (E♭)   (C) | Cm | G7 |

  - bo-dy e-ver told you that you__   would be   jammin' until the break of

| F7 | (G)   (F)   (E♭)   (Cm) | Cm |

  dawn.   I bet you no - body e-ver told you that you   would be

| G7 | F7 | (G)   (F)   (E♭)   (Cm) |

  jammin' until the break of   dawn._   I   know nobody told you that you

| Cm | G7 |

     would   be   jammin' until the break of__

| F7 | (G)   (F)   (E♭)   (Cm)   ‖

  dawn.__   We're   jammin', jammin', jammin', jam__ on.

Bridge 2

(C) (B♭) (C) (E♭) (C) (E♭) (F) (G) (F) (E♭) (C) (B♭) (C) (G) (B♭)

(C) (B♭) (C) (E♭) (C) (E♭) (F) (G) (F) (E♭) (C) (E♭) (G) (F) (G)

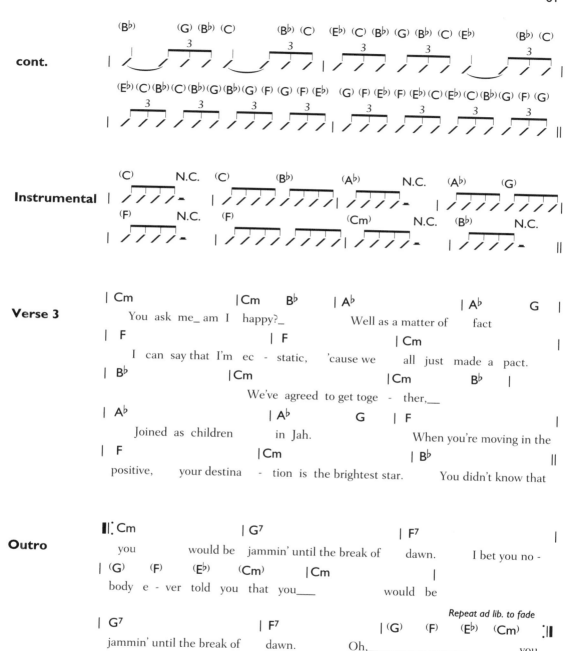

cont.

(Bb) (G) (Bb) (C) (Bb) (C) (Eb) (C) (Bb) (G) (Bb) (C) (Eb) (Bb) (C)

(Eb) (C) (Bb) (C) (Bb) (G) (Bb) (G) (F) (G) (F) (Eb) (G) (F) (Eb) (F) (Eb) (C) (Eb) (C) (Bb) (G) (F) (G)

Instrumental

(C)   N.C. (C)   (Bb)   (Ab)   N.C.   (Ab)   (G)

(F)   N.C. (F)   (Cm)   N.C.   (Bb)   N.C.

Verse 3

| Cm | Cm   Bb | Ab | Ab   G |
You ask me_ am I   happy?_   Well as a matter of   fact

| F | F | Cm |
I can say that I'm ec - static,   'cause we   all just made a pact.

| Bb | Cm | Cm   Bb |
We've agreed to get toge - ther,__

| Ab | Ab   G | F |
Joined as children   in Jah.   When you're moving in the

| F | Cm | Bb ||
positive,   your destina - tion is the brightest star.   You didn't know that

Outro

‖: Cm | G7 | F7 |
you   would be jammin' until the break of   dawn.   I bet you no -

| (G)   (F)   (Eb)   (Cm) | Cm |
body e - ver told you that you___   would be

Repeat ad lib. to fade

| G7 | F7 | (G)   (F)   (Eb)   (Cm)   :‖
jammin' until the break of   dawn.   Oh,_____   you_

THE ROAD TO HELL (PART ONE)

Words and Music by Chris Rea

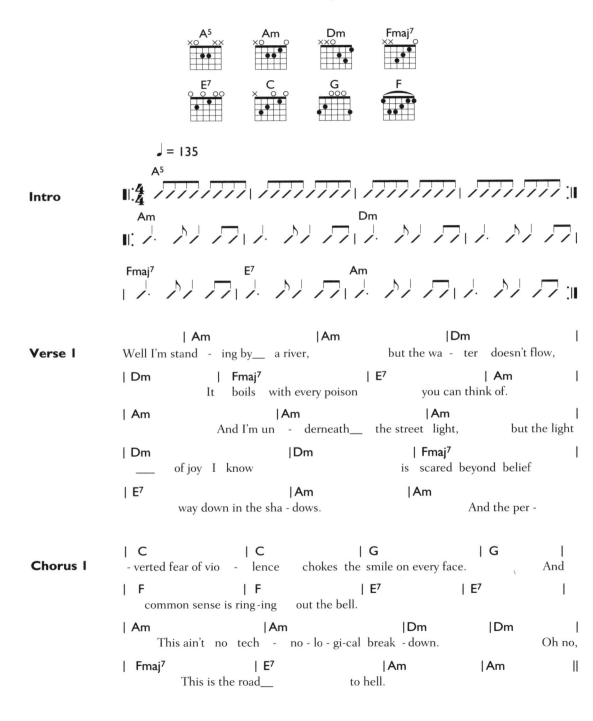

Intro

Verse I

| Am | Am | Dm |

Well I'm stand - ing by__ a river,   but the wa - ter doesn't flow,

| Dm | Fmaj⁷ | E⁷ | Am |

It boils with every poison   you can think of.

| Am | Am | Am |

And I'm un - derneath__ the street light,   but the light

| Dm | Dm | Fmaj⁷ |

___ of joy I know   is scared beyond belief

| E⁷ | Am | Am |

way down in the sha - dows.   And the per -

Chorus I

| C | C | G | G |

- verted fear of vio - lence chokes the smile on every face.   And

| F | F | E⁷ | E⁷ |

common sense is ring-ing out the bell.

| Am | Am | Dm | Dm |

This ain't no tech - no - lo - gi-cal break - down.   Oh no,

| Fmaj⁷ | E⁷ | Am | Am ||

This is the road__ to hell.

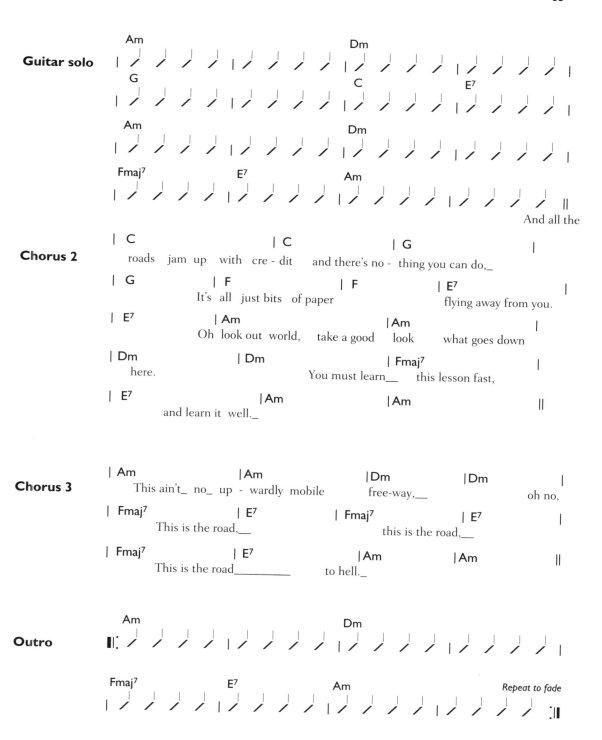

Guitar solo
Am / / / / / | / / / / | Dm / / / / | / / / / |
G / / / / | / / / / | C / / / / | E⁷ / / / / |
Am / / / / | / / / / | Dm / / / / | / / / / |
Fmaj⁷ / / / / | / / / / | E⁷ / / / / | Am / / / / ‖

And all the

Chorus 2
| C | C | G |
roads jam up with cre - dit and there's no - thing you can do,_

| G | F | F | E⁷ |
It's all just bits of paper flying away from you.

| E⁷ | Am | Am |
Oh look out world, take a good look what goes down

| Dm | Dm | Fmaj⁷ |
here. You must learn__ this lesson fast,

| E⁷ | Am | Am ‖
and learn it well._

Chorus 3
| Am | Am | Dm | Dm |
This ain't_ no_ up - wardly mobile free-way,__ oh no,

| Fmaj⁷ | E⁷ | Fmaj⁷ | E⁷ |
This is the road,__ this is the road,__

| Fmaj⁷ | E⁷ | Am | Am ‖
This is the road_____ to hell._

Outro
‖: Am / / / / | / / / / | Dm / / / / | / / / / |
Fmaj⁷ / / / / | E⁷ / / / / | Am / / / / | / / / / :‖
Repeat to fade

(SITTIN' ON) THE DOCK OF THE BAY

Words and Music by Otis Redding and Steve Cropper

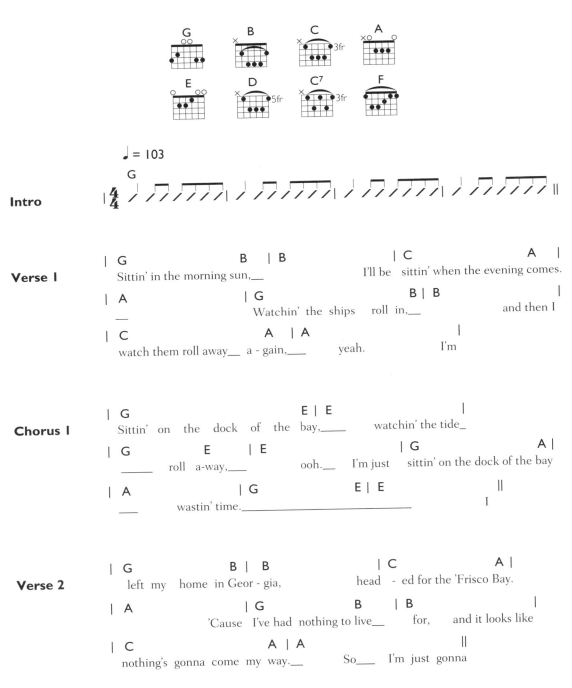

Intro

♩ = 103

G

| 4/4

Verse 1

| G   B | B | C   A |
Sittin' in the morning sun,__   I'll be sittin' when the evening comes.

| A | G   B | B |
__   Watchin' the ships roll in,__   and then I

| C   A | A |
watch them roll away__ a - gain,___   yeah.   I'm

Chorus 1

| G   E | E |
Sittin' on the dock of the bay,____   watchin' the tide_

| G   E | E | G   A |
_____ roll a-way,___   ooh.__   I'm just sittin' on the dock of the bay

| A | G   E | E   ‖
___ wastin' time._____   I

Verse 2

| G   B | B | C   A |
left my home in Geor - gia,   head - ed for the 'Frisco Bay.

| A | G   B | B |
'Cause I've had nothing to live__ for,   and it looks like

| C   A | A   ‖
nothing's gonna come my way.__   So___ I'm just gonna

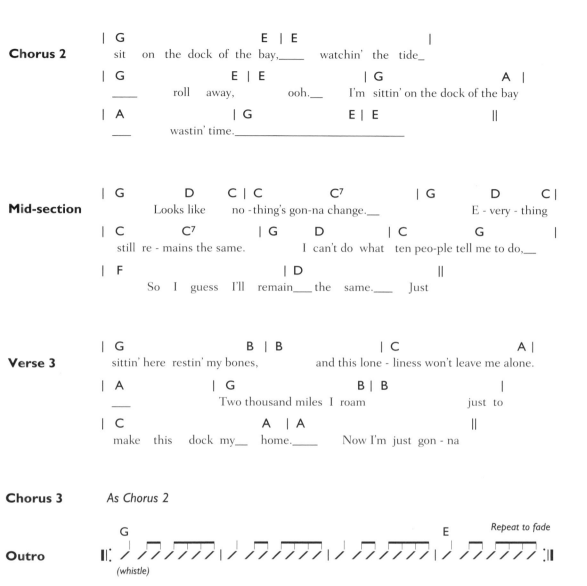

Chorus 2

```
| G                    E | E                  |
  sit  on  the  dock  of  the  bay,____  watchin'  the  tide_
| G              E | E              | G                A |
 ____    roll   away,         ooh.__   I'm  sittin' on the dock of the bay
| A                | G          E | E                ||
 ___    wastin' time._____
```

Mid-section

```
| G          D      C | C          C7        | G          D      C |
  Looks like    no -thing's gon-na change.__         E - very - thing
| C          C7        | G      D      | C      G              |
  still  re - mains the same.       I can't do what  ten peo-ple tell me to do,__
| F                      | D                  ||
  So  I  guess  I'll  remain___ the  same.___  Just
```

Verse 3

```
| G                  B | B                | C                A |
  sittin' here restin' my bones,        and this lone - liness won't leave me alone.
| A                | G              B | B              |
 ___               Two thousand miles  I roam              just to
| C                    A  | A                        ||
  make  this  dock my__  home.____   Now I'm just gon - na
```

Chorus 3   *As Chorus 2*

Outro

Repeat to fade

(whistle)

SOMETHING IN THE WAY SHE MOVES

Words and Music by James Taylor

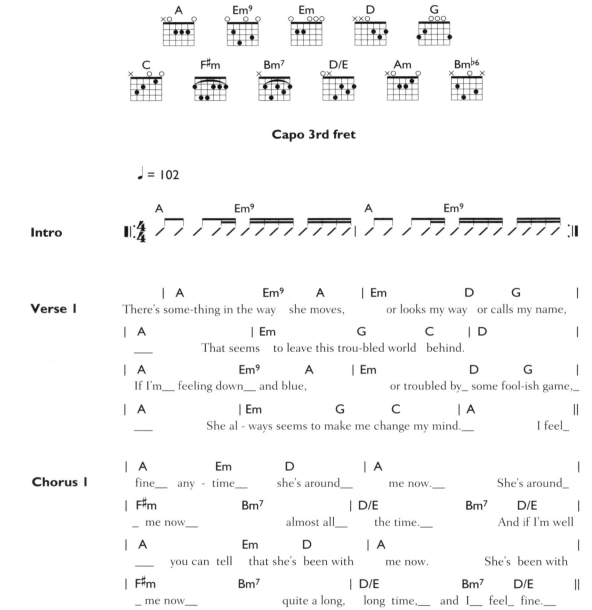

Capo 3rd fret

♩ = 102

Intro

| A | Em⁹ | A | Em⁹ |

Verse I

| A   Em⁹   A | Em   D   G |
There's some-thing in the way   she moves,   or looks my way   or calls my name,

| A | Em   G   C | D |
___   That seems   to leave this trou-bled world   behind.

| A   Em⁹   A | Em   D   G |
If I'm__ feeling down__ and blue,   or troubled by_ some fool-ish game,_

| A | Em   G   C | A   ‖
___   She al - ways seems to make me change my mind.__   I feel_

Chorus I

| A   Em   D | A |
fine__   any - time__   she's around__   me now.__   She's around_

| F♯m   Bm⁷ | D/E   Bm⁷   D/E |
_ me now__   almost all__   the time.__   And if I'm well

| A   Em   D | A |
___   you can tell   that she's been with   me now.   She's been with

| F♯m   Bm⁷ | D/E   Bm⁷   D/E   ‖
_ me now__   quite a long,   long time,__   and I__ feel_ fine.__

Bridge

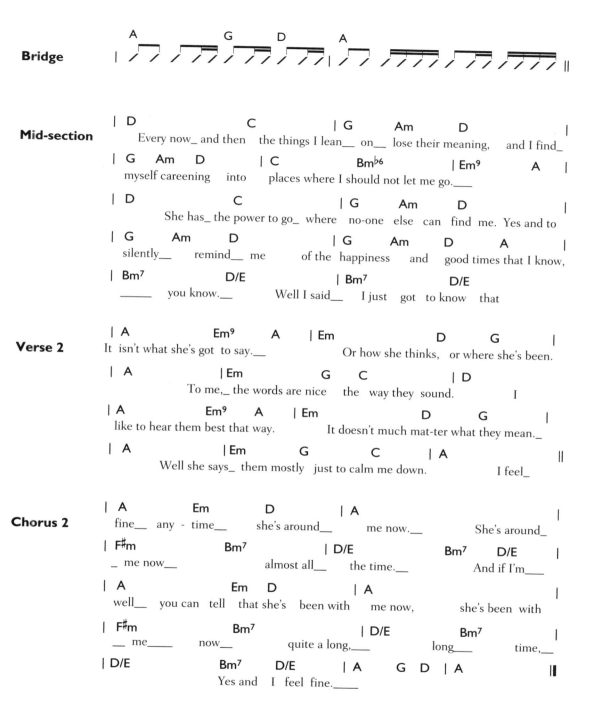

Mid-section

| D | | C | | G | Am | D | |
Every now_ and then the things I lean__ on__ lose their meaning, and I find_

| G | Am | D | | C | | Bm♭6 | | Em⁹ | A | |
myself careening into places where I should not let me go.___

| D | | C | | G | Am | D | |
She has_ the power to go_ where no-one else can find me. Yes and to

| G | Am | D | | G | Am | D | A | |
silently__ remind__ me of the happiness and good times that I know,

| Bm⁷ | | D/E | | Bm⁷ | | D/E | |
_____ you know.__ Well I said__ I just got to know that

Verse 2

| A | Em⁹ | A | Em | | D | G | |
It isn't what she's got to say.__ Or how she thinks, or where she's been.

| A | | Em | G | C | | D | |
To me,_ the words are nice the way they sound. I

| A | Em⁹ | A | Em | | D | G | |
like to hear them best that way. It doesn't much mat-ter what they mean._

| A | | Em | G | | C | A | |
Well she says_ them mostly just to calm me down. I feel_

Chorus 2

| A | Em | D | | A | | |
fine__ any - time__ she's around__ me now.__ She's around_

| F♯m | Bm⁷ | | D/E | Bm⁷ | D/E | |
_ me now__ almost all__ the time.__ And if I'm___

| A | Em | D | | A | | |
well__ you can tell that she's been with me now, she's been with

| F♯m | Bm⁷ | | D/E | Bm⁷ | | |
__ me____ now__ quite a long,___ long___ time,__

| D/E | Bm⁷ | D/E | A | G | D | A | |
Yes and I feel fine.____

SONG TO THE SIREN

Words and Music by Tim Buckley and Larry Beckett

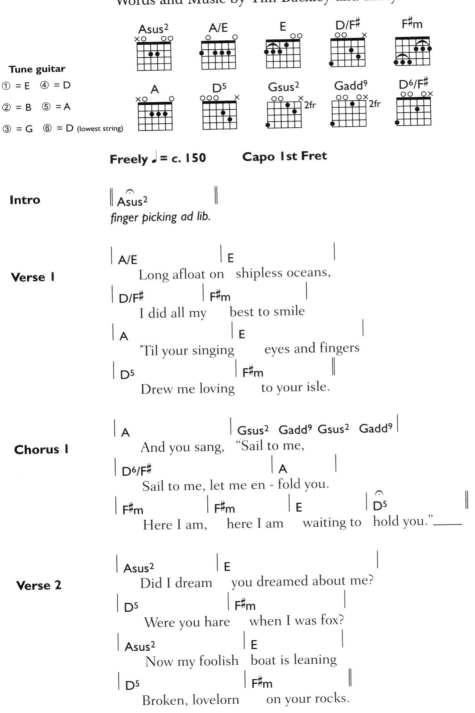

Tune guitar

① = E ④ = D

② = B ⑤ = A

③ = G ⑥ = D (lowest string)

Freely ♩ = c. 150   **Capo 1st Fret**

Intro

‖ Asus² ‖

finger picking ad lib.

Verse 1

| A/E | E

Long afloat on   shipless oceans,

| D/F♯ | F♯m

I did all my   best to smile

| A | E

'Til your singing   eyes and fingers

| D⁵ | F♯m

Drew me loving   to your isle.

Chorus 1

| A | Gsus² Gadd⁹ Gsus² Gadd⁹ |

And you sang, "Sail to me,

| D⁶/F♯ | A

Sail to me, let me en - fold you.

| F♯m | F♯m | E | D⁵

Here I am,   here I am   waiting to   hold you."____

Verse 2

| Asus² | E

Did I dream   you dreamed about me?

| D⁵ | F♯m

Were you hare   when I was fox?

| Asus² | E

Now my foolish   boat is leaning

| D⁵ | F♯m

Broken, lovelorn   on your rocks.

Chorus 2

| Asus² | Gsus² | |
For you sing, "Touch me not,

| D/F♯ | | A |
Touch me not, come back to - morrow;

| F♯m | F♯m | E | D⁵ | F♯m
Oh my heart, oh my heart shies from the sorrow."_____

Verse 3

‖ Asus² | E | D⁵
But I'm as puzzled as the new born child

| F♯m |
I'm as riddled as the tide:

| A | E |
Should I stand amid the breakers,

| D⁵ | F♯m ‖
Or should I lie with death my bride?

Chorus 3

| Asus² | Gadd⁹ |
Hear me sing, "Swim to me,

| D/F♯ | A |
Swim to me, let me en - fold you:

| F♯m | F♯m | E | D⁵ | F♯m ‖
Here I am, here I am, waiting to hold_____ you.__

STAND BY YOUR MAN

Words and Music by Tammy Wynette and Billy Sherrill

Chord diagrams: A, D, E⁷, Bm, B⁷, C#⁷ (4fr), F#⁷

♩ = 104

Intro

| A | D | A | E⁷ |

Shuffle feel

Verse 1

| A | A | E⁷ | E⁷ |
Some - times it's hard__ to be a woman,___

| Bm | E⁷ | A | A |
Giving all your love_ to just one man.___

| D | D | A | A |
You'll have bad times,__ and he'll have good times,

| B⁷ | B⁷ | E⁷ | E⁷ |
Doing things that you don't under - stand.____

Verse 2

| A | A | E⁷ | E⁷ |
But if you love him, you'll forgive him,___

| Bm | E⁷ | A | A |
Even though_ he's hard to under - stand.____

| D | D | A | D |
And if you love him,___ oh__ be proud of him___

| A | E⁷ | A D | A E⁷ |
'Cause after all,__ he's just a man.____

Chorus

```
| A                | C#7        | D             | D              |
      Stand  by  your   man_____              give him   two      arms__  to cling  to,

| A                | F#7        | B7            | E7             |
  And   something  warm  to come to,        when nights are  cold   and lonely,

| A                | C#7        | D             | D              |
      Stand  by  your   man,_____            and  show the   world you love him,

| A                | E7         | C#7           | F#7            |
      Keep giving      all     the love you   can,_____

| D           | E7          | A        D   | A   E7       ||
      Stand____   by_____  your___  man._____
```

Outro

```
| A                | C#7        | D             | D              |
      Stand  by  your   man_____              and  show the   world you love him,

| A                | E7         | C#7           | F#7            |
      Keep giving      all     the love you   can_____

| D           | E7          | A   D   | A   Bm  E7 | A          ||
      Stand__   by___     your___  man._____
```

THE STREETS OF LONDON

Words and Music by Ralph McTell

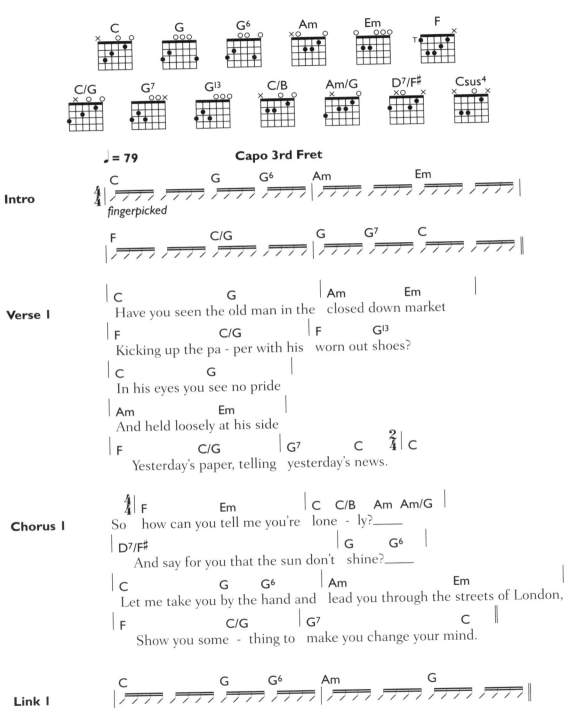

Verse 2

```
 |C              G       |Am              Em        |
  Have you seen the old girl who  walks the streets of  London,
 |F        C/G      |F        G¹³      |
  Dirt in her hair, and her  clothes in rags?
 |C              G       |Am              Em        |
  She's no time for talking, she  just keeps right on walking.
 |F        C/G      |G⁷       C    ²₄|C
  Carrying her home in  two carrier bags.
```

Chorus 2   *As Chorus 1*

Link 2   *As Intro*

Verse 3

```
 ‖C              G       |Am         Em     |
   In the all-night café at a quar - ter past ele - ven
 |F        C/G      |F        G¹³      |
   Same old man sitting  there on his own.
 |C              G       |Am     Em        |
   Looking at the world over the  rim of his teacup
 |F            C/G      |G⁷              C   ²₄|C
   Each tea lasts an hour, and he  wanders home a - lone.
```

Chorus 3   *As Chorus 1*

Link 3   *Link 1*

Verse 4

```
 |C/G            G       |Am              Em      |
   Have you seen the old man out - side the Seaman's Mission,
 |F            C/G      |F            G⁷      |
   Memory fading with the medal  ribbons that he wears.
 |C          G       |Am          Em      |
   In our Winter city, the rain  cries a little pi - ty
   |F              C/G      |G⁷          C   ²₄|C
 For  one more forgotten hero and a  world that doesn't care.
```

Chorus 4

```
     ⁴₄|F          Em        |C  C/B  Am  Am/G |
   So  how can you tell me you're  lone - ly?_____
 |D⁷/F♯                      |G     G⁶   |
     And say for you that the sun don't  shine?_____
 |C/G        G    G⁶   |Am              Em           |
   Let me take you by the hand and  lead you through the streets of London,
 |F            C/G      |G⁷                 Csus⁴ | Csus⁴  C ‖
   Show you some - thing to  make you change your mind._____
```

TAKE THIS WALTZ

Words and Music by Leonard Cohen and Lorca Garcia

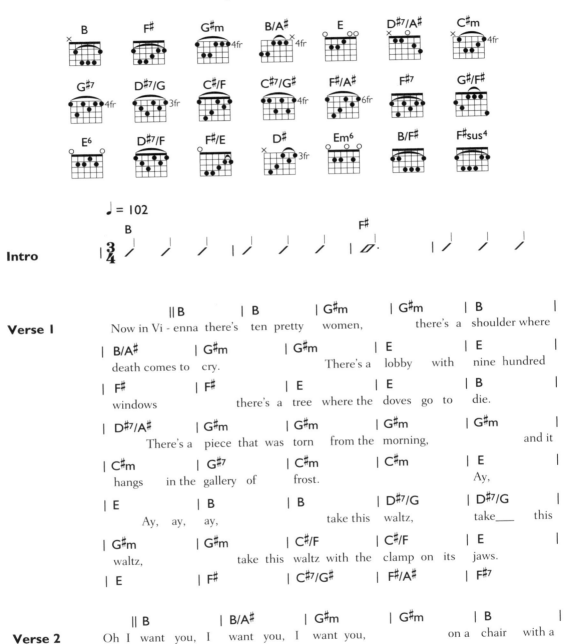

Intro

Verse 1

||B | B | G#m | G#m | B |
Now in Vi - enna there's ten pretty women, there's a shoulder where

| B/A# | G#m | G#m | E | E |
death comes to cry. There's a lobby with nine hundred

| F# | F# | E | E | B |
windows there's a tree where the doves go to die.

| D#7/A# | G#m | G#m | G#m | G#m |
There's a piece that was torn from the morning, and it

| C#m | G#7 | C#m | C#m | E |
hangs in the gallery of frost. Ay,

| E | B | B | D#7/G | D#7/G |
Ay, ay, ay, take this waltz, take___ this

| G#m | G#m | C#/F | C#/F | E |
waltz, take this waltz with the clamp on its jaws.

| E | F# | C#7/G# | F#/A# | F#7 |

Verse 2

||B | B/A# | G#m | G#m | B |
Oh I want you, I want you, I want you, on a chair with a

| B | G#m | G#m | E | E |
dead maga - zine. In the cave at the tip of the

cont.

| F♯ | F♯ | E | E | B |
lily,   in some hall-way where love's never   been.

| D♯7/A♯ | G♯m | G♯m | G♯m | G♯m |
On a bed where the moon has been sweating,   in a

| C♯m | G♯7 | C♯m | C♯m | E |
cry   filled with foot - steps and sand.   Ay,

| E | B | B | D♯7/G | D♯7/G |
    Ay, ay,   ay,   take this waltz,   take___ this

| G♯/F♯ | G♯/F♯ | E6 | E6 | D♯7/F |
waltz,   take its   broken__   waist in your hand.

| D♯7/F | F♯/E | D♯7/G | G♯m | D♯ |

Mid-section

‖ G♯m | G♯m | G♯m | G♯m |
This waltz,_   this   waltz,_   this   waltz,_   this   waltz,   with its

| C♯m | C♯m | G♯m | G♯m | Em6 |
very own_   breath_ of brandy and death.   Dragging its

| Em6 | B | B | B/F♯ | F♯ |
tail in the sea.

Verse 3

‖ B | B | G♯m | G♯m | B |
There's a concert   hall in Vi - enna   where your mouth had a

| B/A♯ | G♯m | G♯m | E | E |
thousand re - views.   There's a bar where the boys have stopped

| F♯ | F♯ | E | E | B |
talking,   they've been sentenced to death by the blues.

| D♯7/A♯ | G♯m | G♯m | G♯m | G♯m |
Ah, but who is it climbs to your picture   with a

| C♯m | G♯7 | C♯m | C♯m | E |
garland of   freshly cut tears?   Ay,

| E | B | B | D♯7/G | D♯7/G |
   Ay, ay,   ay,   take this waltz,   take___ this

| G♯m | G♯m | C♯m | C♯m | E |
waltz,   take this waltz, it's been dying_ for years.

| E | B | B | F♯sus4 | F♯ |

Verse 4

```
           || B          | B/A#        | G#m        | G#m        | B          |
   There's an   attic   where children are   playing,           where I've  got  to  lie

   | B          | G#m        | G#m        | E          | E          |
   down  with you  soon,                    in a  dream  of Hun - garian

   | F#         | F#         | E          | E          | B          |
   lanterns,               in the  mist  of  some  sweet  after  -  noon.

   | D#7/A#     | G#m        | G#m        | G#m        | G#m        |
          And I'll  see what you've  chained  to your sorrow,           all your

   | C#m        | G#7        | C#m        | C#m        | E          |
   sheep  and your  lillies      of     snow.                    Ay,

   | E          | B          | B          | D#7/G      | D#7/G      |
      Ay,   ay,   ay,              take this  waltz,           take___   this

   | G#/F#      | G#/F#      | E6         | E6         | D#7/F      |
   waltz,            with it's "I'll__  never     for - get you,  you    know!"

   | D#7/F      | F#/E       | D#7/G      | G#m        | D#         ||
```

Mid-section 2   *As Mid-section 1*

Verse 5

```
            | B          | B          | G#m        | G#m        | B          |
   And I'll dance   with   you   in  Vi - enna.              I'll  be   wearing   a

   | B/A#       | G#m        | G#m        | E          | E          |
   river's      dis - guise.             The   hyacinth      wild   on   my

   | F#         | F#         | E          | E          | B          |
   shoulder,             my    mouth   on  the  dew  of  your     thighs.

   | B          | B          | B          | G#m        | G#m        |
          And I'll   bury my soul__        in a  scrap-book           with the

   | B          | B/A#       | G#m        | G#m        | E          |
   photographs there,_      and the moss.              And I'll  yield  to  the

   | E          | F#         | F#         | E          | E          |
   flood  of  your  beauty,             my   cheap   vio - lin   and my

   | B          | D#7/A#     | G#m        | G#m        | G#m        |
   cross.          And you'll  carry     me    down   on  your  dancing

   | G#m        | C#m        | G#7        | C#m        | C#m        |
          to the   pools   that you  lift    on your    wrist.           Oh   my
```

cont.

| E | E | B | B | D♯7/G |
love,   oh my   love,   take this   waltz,

| D♯7/G | G♯m | G♯m | C♯m | C♯m |
take___   this waltz.   It's   yours now, it's   all that there

| E | E | B | B | F♯ | F♯ ||
is.

Outro

| B | B | G♯m | G♯m | B |
La_ la_ la._   La_ la_ la._   La_ la_ la._

| B/A♯ | G♯m | G♯m | E | E |
La_ la_ la._   La_ la_ la._

| F♯ | F♯ | E | E | B |
La_ la_ la._   La_ la_ la._   La_ la_ la._

| D♯7/A♯ | G♯m | G♯m | G♯m | G♯m |
La_ la_ la._   La_ la_ la._

| C♯m | G♯7 | C♯m | C♯m | E | E |
La_ la_ la._   La_ la_ la._   Ay,   ay,   ay

fade out

| B | B | D♯7/G | D♯7/G | G♯m | G♯m ||
ay..._____

WICKED GAME

Words and Music by Chris Isaak

Bm   A   E

♩ = 110

Bm   A   E   Play x4

Intro ‖: 4/4 / / / / | / / / / | / / / / | / / / / :‖

Verse 1
      | Bm | A | E | E |
The world was on fire, no - one could save me but you.

| Bm | A | E | E |
Strange what desire will   make foolish people do.

| Bm | A | E | E |
I never dreamed that I'd meet somebody like you.

| Bm | A | E | E |
I never dreamed that I'd   lose somebody like you.   No,

Chorus 1
| Bm | A | E | E |
I_____ don't wanna fall in love, *(this love is only gonna break your heart)*, no

| Bm | A | E | E |
I_____ don't   wanna fall in love, *(this love is only gonna break your heart)*, with

| Bm | A | E | E |
you,   with

| Bm | A | E | E   ‖
you.   *(This love is only gonna break your heart.)*

Verse 2

| Bm | A | E | E |
What a wicked   game you play,   to make me   feel this way,

| Bm | A | E | E |
What a wicked   thing to do,   to let me   dream of you,

| Bm | A | E | E |
What a wicked   thing to say,   you never   felt this way,

| Bm | A | E | E |
What a wicked   thing to do,   to make me   dream of you.

Chorus 2   *As Chorus 1*

Guitar solo   Bm   A   E   *Play x4*
‖: / / / / | / / / / | / / / / | / / / / :‖

Verse 3   *As Verse 1*

Chorus 3

| Bm | A | E | E |
No I_____ don't   wanna fall in love,   *(this love is only gonna break your heart)* no

| Bm | A | E | E |
I_____ don't   wanna fall in love,   *(this love is only gonna break your heart)* with

‖: Bm | A | E | E |
you,   *(this love is only gonna break your heart)* with

| Bm | A | E | E   :‖
you.   *(This love is only gonna break your heart)*

Outro

| Bm | A | E   ‖
Nobody   loves   no - one.

ISBN10: 0-571-52594-6
EAN13: 978-0-571-52594-2

To buy Faber Music publications or to find out about the full range of titles available
please contact your local music retailer or Faber Music sales enquiries:

Faber Music Ltd, Burnt Mill, Elizabeth Way, Harlow CM20 2HX
Tel: +44 (0) 1279 82 89 82   Fax: +44 (0) 1279 82 89 83
sales@fabermusic.com   fabermusic.com   expressprintmusic.com